İSTANBUL'UN
100
CAMİSİ

~~~~~~~~~~~~~~~~~

BERİCA NEVİN BERBEROĞLU

İSTANBUL'UN YÜZLERİ ¯ 20

Bu kitap İstanbul 2010 Avrupa Kültür Başkenti Ajansı'nın katkılarıyla hazırlanmış ve basılmıştır.

İstanbul Büyükşehir Belediyesi Kültür A.Ş. Yayınları

İSTANBUL'UN YÜZLERİ ˜ 20
İSTANBUL'UN 100 CAMİSİ
Berica Nevin Berberoğlu

Genel Yayın Yönetmeni
Nevzat Bayhan

Yayın Koordinatörü
Hasan Işık

Yayın Danışmanı
Necati Aksüt

Konsept Yönetmeni
Dündar Hızal

Dizi Editörü
Uğur Aktaş
Güney Ongun

Danışma Kurulu
Prof. Dr. İskender Pala
Ahmet Kot
Ömer Faruk Şerifoğlu

Grafik Tasarım
Tuğrul Peker
Sibel Gündoğdu Tabanoğlu

Fotoğraflar
Berica Nevin Berberoğlu

Kapak Fotoğrafı
Sa'dâbâd Camii, Kağıthane.

Baskı Yılı
2011

Proje Yapım
Kült Ltd. / +90 0212 251 3940
www.kult-art.net

Maltepe Mahallesi Topkapı Şehir Parkı Osmanlı Evleri 34010
Topkapı - Zeytinburnu / İstanbul
T. 0212 467 0700 F. 0212 467 0799
www.kultursanat.org / kultursanat@kultursanat.org

İÇERİK

SUNUŞ

Sevgili İstanbullular,

Kıtaların ve kültürlerin buluşma noktasında yer alan İstanbul üç İmparatorluğa başkentlik yapmış bir şehirdir. Tarihinin her döneminde bir "dünya kenti" olan İstanbul siyasî, iktisadî ve kültürel bir merkez olma niteliğini halen korumaktadır. Küreselleşmenin etkilerinin güçlü olarak hissedildiği ve şehirlerin büyüyüp dünyanın küçüldüğü zamanımızda önemini ve cazibesini korumaya devam etmektedir. İstanbul'un 2010 Avrupa Kültür Başkenti olarak seçilmesi bunun açık bir göstergesidir.

2010 Avrupa Kültür Başkenti sürecinde birçok etkinliği başarıyla gerçekleştirdik. Bu faaliyetler arasında İstanbul ile ilgili yayınlarımız önemli bir ağırlık taşımaktadır.

Şehrimizin tarihi, kültürel ve edebi değerleri üzerine yazılmış eserleri okuyucularla buluşturmaya önem veriyoruz. Bu eserlerin hem İstanbul'un dünya ile diyaloğunun zenginleşmesine hem de İstanbul'da kentlilik bilincinin gelişmesine büyük katkı sağlayacağına inanıyoruz. Tarih, kültür, bilim, sanat, edebiyat gibi pek çok sahada İstanbul'un farklı yüzlerini tanıtan "İstanbul'un Yüzleri" serisini de İstanbul kent kültürüne bir katkı olarak yayınlıyoruz.

İstanbul Büyükşehir Belediyesi olarak İstanbul ile ilgili nitelikli yayınları bundan sonra da sizlerle buluşturmaya devam edeceğiz. Geçtiğimiz dönemde yeni müzeleri, tiyatro salonları ve sanatsal aktiviteleri ile dinamik bir kültürel merkez haline gelen ve kültür-sanat alanında uluslararası bir cazibe merkezi olan İstanbul'u her geçen gün daha ileriye taşıyacağız.

İstanbul'un 2010 Avrupa Kültür Başkenti seçilmesi nedeni ile başlattığımız "İstanbul'un Yüzleri" serisinin yayına hazırlanmasında emeği geçenlere teşekkür ediyorum. Bu vesileyle tüm İstanbullulara sevgi ve saygılarımı sunuyorum.

Kadir TOPBAŞ
İstanbul Büyükşehir Belediye Başkanı

TAKDİM

~~~~~~~~~~~

İstanbul siluetinin mühürleri...

İstanbul, çağlar boyu kültürlerin kaynaştığı bir kavşak, medeniyetlerin üzerinde yükseldiği bir kürsü olmuştur. Bu zengin kültürlerin ulaştığı estetik ve incelik, İstanbul'un güzelliğine nadide armağanların adanmasına da bir vesiledir. Her medeniyet, kültürel, dini ve dünyevi algılarının ilhamıyla, İstanbul'un bedenine göze ve gönle hoş gelecek abideleri emanet bırakmışlardır. İstanbul'un bugünkü siluetini belirleyen abidelerin başında camiler gelmektedir.

Osmanlı medeniyeti, her bakımdan İstanbul'un imarı için çağının her dönem üzerinde bir ceht ortaya koymuştur. İstanbul'un en yüksek tepelerine ecdadın inşa ettiği dini mimarinin bu estetik ve ferah mabetleri, çağlar boyu İstanbul'un siluetinin vazgeçilmezi olmuştur. Bugün de İstanbul denince akla gelen, şehrin bu ufuk çizgisidir. Kuşkusuz ilk camilerden günümüze İstanbul'da birçok cami inşa edilmiştir. Her biri dönemin estetik ve mimari birikiminin bir eseri olan bu camiler, aynı zamanda sanat eseri olarak da yekta ve biriciktir.

Başta Mimar Sinan olmak üzere İstanbul'un her semtinin merkezine nakşedilen ve her tepesinde Akif'in "O ezanlar ki şahadetleri dinin temeli..." dediği sedanın yükseldiği bir kürsü olan camiler, dış estetiği kadar içindeki işlemeleri, halıları ve dayanıklılıkları ile de hala üstün bir mimari zekâyı ifşa etmektedir. Bugün Süleymaniye'nin mimari esrarının hala konuşuluyor olması buna güzel bir örnektir. Küçük ya da büyük ölçekte ama şehrin dokusu ile örtüşen, anlaşan ve aidiyet kuran bu mimari eserler, bugün için de önemli bir estetik çıtayı ufkumuzda belirlemektedir.

İstanbul ve Cami ve bu iki kavramın buluşmasından ortaya çıkan kültür, hacimli nice kitabın da işaretçisidir. Ancak İstanbul envanterinin olmazsa olmazı olan 100 camiyi, İstanbul'un Yüzleri arasında saymak ve diğerlerine bir yol açmak düşüncesiyle bu seçkiyi siz değerli okurun dikkatine sunuyoruz.

İstanbul Büyükşehir Belediyesi Kültür A.Ş., İstanbul'un Yüzleri Projesi çerçevesinde İstanbul'un soyut ve somut kültür mirasının envanterini yapmak ve kadim olan ile günceli bir araya getirip gelecek kuşaklara bu köklü kültürün satır başlarını miras olarak bırakmak arzusundadır. Bu çerçevede hazırlanan İstanbul'un Yüzleri, başarıyla tamamlanan kitapları ile önemli bir kütüphaneye dönüşmektedir.

İnanıyorum ki, bu kütüphane İstanbul'un kültürel haritasını da bizlere sunacaktır.

İyi Okumalar...

Nevzat BAYHAN
Kültür A.Ş. Genel Müdürü

GİRİŞ

Marmara ile Karadeniz'i birbirine bağlayan Boğaziçi'nin önemi, Avrupa ile Asya arasında bir köprü olmasıdır.

Her yönden güvenli bir liman olan Haliç'e ve dayanıklı bir kaleye sahip olan kent, yedi tepe üzerine kurulmuştu. Siyasi güç ve ticaret merkezi olan şehir, kurucusu I. Konstantinos tarafından İmparatorluğun dört bir yanından getirilen değerli sanat eserleri ve anıtlarla süslendi. Hipodrom'da duran Yılanlı Sütun Ege'deki Delphi Adası'ndan, Dikilitaş ise Mısır'dan getirilmişti. Ayasofya'nın sütunları da dahil yüzlerce mermer parça, başka antik kentlerden yapının inşasında kullanılmak üzere buraya taşındı.

Hz. Muhammed'in 632 tarihinde 63 yaşında vefatından sonra dört halife döneminde İstanbul'a Arap akınları yapılmaya başlamıştı. Bu akınların birinde Eyyubu el-Ensari de şehit düşmüştü. Fetihten sonra Fatih, Eyyubu el-Ensari'nin kabrinin bulunduğu yere şehrin ilk külliyesini inşa ettirdi.

İstanbul'da inşa edilen ilk camii Eyüb Sultan Camii'dir. Fetihle birlikte Fatih Sultan Mehmed'in Ayasofya Kilisesi'ni camiye çevirtmesiyle başlayan süreçte pek çok kilise ve manastır camiye çevrilmiştir. Bu yapılar içinde halen cami olarak kullanılan en eski Bizans yapısı, Küçük Ayasofya Camii olarak bilinen Aziz Sergios ve Bacchos Kilisesi'dir.

İstanbul 7 tepe üzerine kurulmuş bir şehirdir. Osmanlı döneminin farklı zaman dilimlerinde bu yedi tepenin her birine cami inşa edilmiştir. Bazısında bir yerine iki cami ve külliye vardır. İnşa edilen camiler birer külliye niteliğinde olup, bulundukları tepeye isimlerini verecek derecede şehrin siluetine ve yaşamına etki etmiştir.

Cami sözcüğü, cuma namazı kılınan büyük mescit anlamındaki "mescid-i cami"den kısaltılmıştır. Müslümanlıkta cuma ve bayram namazlarının camilerde topluca kılınması zorunludur. Öteki namazlar, istenilen uygun yerlerde, topluca ya da tek olarak kılınabilir. Bununla birlikte, Hz. Muhammed, camilerde cemaatle namaz kılmayı özendirmiş, böyle davranmanın tek başına kılınan namazdan daha çok sevap olduğunu belirtmiştir. Camilerin ibadet dışında başka işlevleri de vardır; bunların başında, Müslümanların birbirleriyle görüşüp kaynaşmaları, toplumsal sorunların cemaat arasında konuşulup tartışılması, hutbe, vaaz ve cami dersleri gibi yollarla eğitim ve öğretim gelir. Müslümanlığın ilk dönemlerinde, camiler ibadet işlevinin yanı sıra, bir türlü halk meclisi niteliğindedir. Hz. Muhammed ve dört halife dinsel, toplumsal ve siyasal sorunları çoğunlukla camide halkla tartışır ve çözümlerlerdi. İslam'da ilk eğitim ve öğrenim faaliyetleri de camilerde başladı. Mahalle mektepleri, medreseler kurulup geliştikten sonra bile camilerde özellikle hadis, tefsir gibi din bilimleri alanında öğretim yakın zamanlara kadar sürdürüldü.

Müslümanlığın ilk yıllarında Tanrı'ya ibadet yerlerine "secde edilen yer, namaz kılınan yer" anlamına gelen "Mescid ül-cami" deniliyordu, ancak giderek bu tür yapılara kısaca cami denir oldu. Cami sözcüğünden daha geniş bir anlamı olan mescit, Türkçede mahalle aralarında bulunan küçük ibadet mekânları için kullanılır olmuş, Müslümanlığın yayılmasıyla birlikte yapılan büyük ibadet yerlerine ise "cami" denilmiştir. Kentlerdeki büyük ve önemli ibadet yerlerine "ulu cami", sultanların yaptırdıklarına da "selatin cami" adı verilmiştir.

Farklı dönem ve yörelerde, farklı mimari ve estetik özellikler göstermekle birlikte cami, ana çizgileriyle belli bir biçim taşır. Temel tasarım olarak bu biçim, Mekke'den gelen çizgiyi dik açı ile kesen bir duvardır. Kıble yönünün göstergesi olan bu duvar üzerinde yer alan mihrap, namaz kılan topluluğun nereye dönük olmaları gerektiğini vurgulayan mimari bir öğedir.

Gelişmiş bir Osmanlı camisinde, namaz kılınan kapalı cami hacmine "sahn, şahın ya da haremsaray", yanlarda ve giriş duvarında bulunan kimi zaman biraz yüksek tutulan sekilere "sofa", kıble yönünü gösteren mihrap önündeki yüksekliğe "seki" denilir. Kimi büyük camilerde galeriler bulunur. "Kadınlar mahfili" denilen bu mekânlar, kadınların namaz kılabilmeleri için ayrılmış bölümlerdir. Kimi camilerdeyse padişahın namaz kılabilmesi için ayrılmış, "hünkâr mahfili" denilen özel bir bölüm vardır. Genellikle ayrı bir girişi olan ve cami zemininden yüksek yapılan bu bölüm, cami içinden görülemeyecek biçimde kafesle ayrılmıştır.

Namaz kılanların hareketlerinde birlik oluşturabilmek için müezzinlerin üzerine çıktığı ve imamın tekbirlerini yineledikleri platforma "müezzin mahfili" denir. Camilerde genellikle fazla eşya bulunmaz. Zemin çoğu kez taştır ve üzeri önce hasır, sonra halı ve kilimlerle örtülüdür. Hocaların vaaz vermek için üzerine çıktıkları "kürsü", mihrabın her iki yanında bulunan büyük "şamdanlar", kubbeye asılı olan "kandiller", ayakkabıların konulduğu "pabuçluklar", üzerinde Kuran okunulan "rahleler" cami içindeki başlıca eşyalardır.

Cami mimarisinin gelişiminde, 8. yüzyıldan başlayarak ülkelere ve toplumlara göre değişen ve oldukça büyük ayrımlar gösteren sürekli bir arayışın çabası gözlenir. Buna bağlı olarak camiler, tarih içinde çok değişik biçimlerde planlanmıştır. 12. yüzyılda İran'da "dört eyvan'lı" bir avlu türünün geliştirildiği, gene aynı yüzyılda Endülüs Emevi sanatı çerçevesinde belirgin ve standart bir cami tasarımına ulaşıldığı görülür. Buna karşılık Anadolu'da cami mimarisinin tipleme gelişimi, 19. yüzyıl sonuna değin sürmüştür. Anadolu'da, çok ayaklı plan türünden başlayarak klasik Osmanlı döneminin sonuna değin, özellikle yapısal gelişim sorunuyla ilgilenilmiştir.

Dünyada en çok camiyi barındıran şehir şüphesiz ki İstanbul'dur. Şehrin 29 Mayıs 1453'te fethedilmesinin ardından gecikmeksizin imar faaliyetlerine başlanarak, viraneye dönmüş haldeki şehir Fatih'e yaraşır bir görünüm almıştır. Fatih Sultan Mehmed'in yanı sıra zengin paşa ve beyler kentin kalkınmasına yardım ederek çeşitli semtlerde cami, medrese, imaret, han, hamam, bedesten gibi binalar yaptırmıştır. Kentte Türk nüfusunun artması için çaba harcayan Fatih, Anadolu'dan İstanbul'a gelecek olanların oturacakları evlerin kendilerine bağışlanacağını vaat etmiştir. Fatih Sultan Mehmed, fetihte yararlık gösteren komutanlara ve bazı tarikat ileri gelenlerine evler vermiş, bunların kurdukları mescitlerin çevresinde ilk Müslüman mahalleler oluşmuştur.

Osmanlı mimarisi basit, kullanışlı, ince, zarif, vakur ve heybetlidir. 19. yüzyılda inşa edilen saraylar dışında bütün yapılar için bunu söylemek mümkündür. Bu sadeliğin anıtsal özellik kazandığı tek alan camilerdir.

Dikkat edilirse yapılan camiler, sadece bir ibadethane olarak değil, aynı zamanda eğitim, kültür, sanat ve sağlık konusunda halkın temel ihtiyaçlarına cevap verecek şekilde inşa edilmiş, bir külliye kimliğine kavuşturulmuştur. Bu durum cami çevresinde bir yerleşimi beraberinde getirmekle birlikte, insanların bu ortak alanlarda buluşmasıyla kent kültürü de yaratılmış olmaktaydı.

Osmanlı dönemi mimarisinde üzerinde en çok çalışılan camiler, Mimar Sinan ile zirvesine ulaşmıştı. Padişah tarafından yaptırılan ve "selatin camii" denilen bu tipteki mabetlerin bir özelliği de en az iki minareye sahip olmasıydı. Başta padişahlar olmak üzere hanedan mensuplarının yaptırdığı camiler daha çok bu şekildeydi. Bu mabetlerde zarif, sade, fakat süzülmüş bir zevk mahsulü olan çini, mermer, tahta veya sıva üzerine nakış gibi süslemeler vardır.

Osmanlı Devleti'nin erken dönem diyebileceğimiz 1300-1453 yılları, Osmanlı sanatının yeni fikirler aradığı bir dönemdi. Bu dönem üç tip camiye tanıklık etti; fevkani (katlı), tek kubbeli camiler. İznik'teki Hacı Özbek Camii (1333), tek kubbeli Osmanlı camisine ilk örnektir.

Her imparatorluk gibi Osmanlı İmparatorluğu da hem halkına hem de dış ülkelere karşı bir prestij olarak mimariye çok önem vermiştir. Fakat Mimar Sinan'ın 16. yüzyılda imparatorluğun zirve yaptığı dönemde yaşamış olması büyük bir şanstır; bu hem Sinan için hem de Osmanlı İmparatorluğu ve mimarlığı için geçerlidir.

Sinan'ın mimarisi, büyük bir yetenek ve kurallar üzerine gelişmiştir. Sinan'a Şehzade Mehmed Külliyesi'ni inşa emri verildiği zaman, kubbeli cami mekânının, Ayasofya şemasının yinelenmesi dahil, hemen bütün aşamaları geçilmiştir. Büyük çaplı kubbelerin taşıyıcı sistemle olan boyutsal ilişkileri sayısız örnekte denenmiştir. Kubbe, yarım kubbe, köşe kubbesi, duvardan ayrılmış taşıyıcı, yani kubbeli çardak motifinin mekân içindeki bağımsız tavrı ortaya konmuş ve Sinan'ın görebileceği örnekler başkentte inşa edilmişti. Osmanlı mimarisi, Bursa ve Edirne'deki başlangıcından bu yana, kesintisiz bir çizgide, oldukça değişik şemalar ve yavaşça kişilik kazanan öğelerle, örneğin sadece Osmanlı dönemine özgü minareler, pencereli duvarlar ve mukarnaslı nişler ve Beyazid Camii'nde görülen keskin modüler tavırla olgunlaşmıştı. Şehzade Camii bu nedenle Türk mimari tarihinde bir dönüm noktasıdır. Çünkü Sinan ilk kez bu büyük projede, kendisine kalan mirası yoğurup yeni bir söylem getirmiştir.

Mimar Sinan'ın dünya tarihinin en büyük mimarlarından biri, belki birincisi olduğunda ittifak vardır.

Mimar Sinan sonrası Osmanlı mimarlığında göze çarpan en önemli şahsiyet Mimar Sedefkâr Mehmed Ağa'dır. Aynı zamanda Mimar Sinan'ın öğrencisi olan bu usta mimar, Sultan Ahmed Camii ve Külliyesi'yle ortaya koyduğu estetik ve zarafetle Ayasofya'yı geçtiği gibi, Osmanlı'nın son şaheserini de yaratmıştır.

Berica Nevin Berberoğlu

Ağa Camii Ahmediye Camii **Ahi Çelebi Camii**
Akbıyık Camii **Ali Kethüda Camii** Ali Pertek Camii
Arap Camii Asariye Camii **Ayasofya** Ayazma Camii
Aziz Mahmud Hüdaî Efendi Camii Bali Paşa Camii
Bebek Camii Bayezid Camii **Beylerbeyi Camii**
Bodrum-Mesih Paşa Camii **Büyük Piyale Paşa**
Camii Büyük Selimiye Camii **Cerrah Mehmed Paşa**
Camii Cezerî Kasım Paşa Camii **Cihangir Camii**
Çinili Camii **Çorlulu Ali Paşa Camii** Davud Paşa
Camii **Dolmabahçe (Bezmiâlem Valide Sultan)**
Camii Emirgân Camii **Eyüb Sultan Camii** Fatih
Camii **Fethiye Camii** Firuz Ağa Camii **Hacı Beşir**
Ağa Camii Hadım İbrahim Paşa Camii **Hamdullah**
Paşa (Çınarlı) Camii Hamidiye Yıldız Camii
Handan Ağa (Kuşkonmaz) Camii Haseki Sultan
Camii **Hekimoğlu Ali Paşa Camii** Hırka-i Şerif
Camii **İskender Paşa Camii** Kalenderhane Camii
Kandilli Camii Karamehmed Kethüda Camii **Kariye**
Camii Kaptan-ı Derya Cezayirli Hasan Paşa Camii
Kazasker İvaz Efendi Camii Kılıç Ali Paşa Camii
Kaymak Mustafa Paşa Camii Küçük Mecidiye
Camii **Küçük Mustafa Paşa-Gül Camii** Küçük
Ayasofya Camii **Kürkçübaşı Ahmed Şemseddin**

Efendi Camii Laleli Camii **Mahmud Paşa Camii** Mehmed Tahir Efendi Camii **Mesih Ali Paşa Camii** Mesih Mehmed Paşa Camii **Mihrimah Sultan Camii** Mihrimah Sultan Camii-Üsküdar **Molla Çelebi Camii** Molla Gürani (Kilise) Camii **Molla Fenari İsa Camii** Murad Paşa Camii **Nurbanu Valide Atik Sultan Camii** Nuruosmaniye Camii **Nusretiye Camii** Orhaniye Kışlası Camii **Ortaköy (Büyük Mecidiye) Camii** Pertevniyal Valide Sultan Camii **Rum Mehmed Paşa Camii** Rüstem Paşa Camii **Sa'dâbâd Camii** Selman Ağa Camii **Serhazin Süleyman Ağa Camii** Silahdar Abdurrahman Ağa Camii **Sinan Paşa Camii** Sofa Camii **Sokullu (Şehit) Mehmed Paşa Camii** Sokullu Mehmed Paşa Camii **Süleymaniye Camii** Sultan Ahmed Camii **Şah Sultan Camii** Şeb Sefa Hatun Camii **Şehzade Camii** Şemsi Paşa Camii **Şişli Camii** Teşvikiye Camii **Tefvikiye Camii** Tezkireci Osman Efendi Camii **Üç Mihraplı Cami** Üryanizade Camii **Vasat Atik Ali Paşa Camii** Vilayet Camii **Yahya Efendi Camii** Yavuz Sultan Selim Camii **Yeni Cami** Yeni Valide Sultan Camii **Yeraltı Camii** Zal Mahmud Paşa Camii **Zeyneb Sultan Camii** Zeyrek Camii

AĞA CAMİİ

~

Beyoğlu'nda, İstiklal Caddesi'nin Sakızağacı Caddesi'yle buluştuğu köşededir. Ağa Camii, 1596 yılında (h. 1005) Galatasaray Ağası Şeyhülharem Hüseyin Ağa tarafından inşa ettirilmiştir.

Avlu içinde ve ilk yapısı kubbeli olan bu küçük caminin çatısı on mermer sütun üzerine oturtulmuştur. Ağa Camii, zamanla yıprandığından Sultan II. Mahmud tarafından tamir ettirilmiş fakat tamirden bir süre sonra gerçekleşen büyük yangından dolayı ikinci ve geniş çaplı bir tamir daha görmüştür. Mütareke yıllarında (1918-1923) harabeye dönüşen cami, 1938 yılında Evkaf İdaresi tarafından bir kez daha tamir edilmiştir. Bu esnada caminin içini süsleyen çiniler de Kütahya'da yeniden yaptırılarak değiştirilmiştir. Ağa Camii'nin üst pencerelerine alçı çerçeveler içinde renkli camlardan Türk çiçek tezyinatı yapılmıştır. Tavan ve duvar nakışlarının Osmanlı motifleriyle süslendiği yapının duvarları alt pencerelere kadar mavi çiniler, pencere içleri de yeşil çinilerle kaplıdır. Camideki yazılar, Hattat İlmi Efendi'nin oğlu İsmail Hakkı Altınbezer tarafından yazılmıştır. Caminin zemini, özel olarak dokutulmuş Isparta halılarıyla döşenmiştir.

Ağa Camii'nde sanat değeri çok yüksek olan bir havuz, fıskiye ve şadırvan yer almaktadır. Caminin avlusunda bulunan mermer havuz ile ortasındaki mermer fıskiye, Eyüp'teki Otluk Bayırı Tekkesi'nden getirilmiştir. Tek parça mermerden olup, iki katlı kubbeler ve oymalı şebekelerle süslenen ve su üstünde yüzen bir camiyi andıran fıskiye, Türk taş oymacılık sanatının eşsiz eserlerinden biridir.

Caminin şadırvanı ise o dönem Kasımpaşa'da harap halde bulunan ve Mimar Sinan'ın eseri olan Sinan Paşa Camii'nden getirtilmiştir. Ağa Camii'nin banisi olan Hüseyin Ağa'nın kabri, mihrap duvarının önündedir.

İstanbul'da Ağa Camii adıyla bilinen Üsküdar Doğancılar'daki cami, daha çok ilk banisine atfen İsmail Ağa Camii adıyla anılmaktadır. Yine Ağa Camii adıyla anılan bir diğer cami de Sultanahmet'teki İshak Paşa Mahallesi'ndedir ve halk arasında Kapı Ağası Mahmud Ağa Camii olarak bilinmektedir. Eminönü'ndeki Beşir Ağa Camii de Ağa Camii olarak zikredilen camilerimizdendir.

Tavan ve duvar nakışları Osmanlı motifleriyle süslenen Ağa Camii'ndeki yazılar, İsmail Hakkı Altınbezer tarafından yazılmıştır.

▲

Caminin minaresinden bir görünüm

AHMEDİYE CAMİİ

~

Üsküdar Ahmediye semtinde, eskiden Ahmediye günümüzde ise Gündoğumu denilen caddeyle Esvapçı Sokak'ın birleştiği köşededir. Ahmediye Camii, 1722 yılında (h. 1134) Eminzade Hacı Ahmed Ağa tarafından inşa ettirilmiş ve ibadete açılmıştır.

18. yüzyıl Türk yapı sanatının en güzel örneklerinden biri olan caminin her iki yola açılan avlu kapıları bulunmaktadır. Arazinin meylinden dolayı sokak tarafındaki kesme taş ve kitabesiz kapısından merdivenle avluya çıkılmaktadır. Ahmediye Camii'ni içinde barındıran külliyede ayrıca bir medrese, bir kütüphane, bir sebil ve iki de çeşme bulunmaktadır. Gündoğumu Caddesi'ne açılan istalaktitli, enlice bir korniş altında büyük bir kitabe vardır. Onun altında yer alan, etrafı kabartma çiçek nakışlı ve kenarı dantel kemerli mermer kapı ise başlı başına bir sanat eseridir.

Yaklaşık 250 metrekare alan üzerine moloz yığma taştan inşa edilen Ahmediye Camii kare planlıdır. Caminin solunda bulunan minaresi kesme taştandır. 1931 yılında ahşap olarak yapılan son cemaat yeri 1965'teki onarım sırasında kaldırılmış, yenisi ise yapılmamıştır. Kapının son cemaat yeri mihraplıdır. Meyilli araziye oturtuluşu ve mimari planı çok başarılı olan caminin kubbesi dilimli tromplara oturmakta, sekiz kenarlı kasnağın her kenarında birer pencere bulunmaktadır.

Caminin mihrabı, sıvalı basit bir niş şeklindedir. Mermer minberi küçük olmasına rağmen devrin güzel eserleri arasındadır. Caminin altta yedi, üstte sekiz penceresi vardır.

Külliyenin banisi Eminzade Ahmed Ağa'nın h. 1143 (1730-1731) tarihli mezar taşı ile buradaki ilk mescidi yaptıran Kefçe (Kepçe) Dede'nin altı sütunlu üstü kubbeli açık türbesinin bulunduğu kabristan, caminin kıble ve kuzey tarafında iki kısım halinde yer almaktadır.

Türk yapı sanatının en güzel örneklerinden biri olan Ahmediye Camii'nin etrafı kabartma çiçek nakışlı ve kenarı dantel kemerli mermer kapısı başlı başına bir sanat eseridir.

AHİ ÇELEBİ CAMİİ

~

Eminönü'nde, Zindankapı mevkiinde, İstanbul Ticaret Üniversitesi'nin arkasındadır. 1480-1500 yılları arasında yapıldığı tahmin edilmektedir. *Tezkiret'ül Ebniye*'de Mimar Sinan'ın eserleri arasında adı geçen mabedin aynı cami olduğu şüphelidir. Nedeni ise caminin inşası ile Mimar Sinan'ın doğum tarihinin birbirine yakın olmasıdır; Mimar Sinan yaklaşık 1490 tarihinde doğmuş, 1539'da mimarbaşı olmuştur.

Eser dikdörtgen plan üzerine ikişer kemerle desteklenen tek kubbeli, tek şerefeli ve tek minareli bir camidir. Banisi, Sultan Mahmud'un darüşşifasında hekimbaşılık ve mutfak emini görevlerinde bulunan Tabip Kemal Ahi Can Tebrizi'dir.

Kanlı Fırın Mescidi ve Yemişçiler Camii olarak da bilinen Ahi Çelebi Camii, 16. ve 17. yüzyılda iki kez yanmış, 1892 depreminde de büyük hasar görmüştür. Cami yıkılma tehlikesi nedeniyle çelik yapıyla desteklenmiş, uzun zaman sonra restore edilerek ibadete açılmıştır.

Önemli bir mimari özelliğe sahip olmayan cami, Evliya Çelebi'den ötürü önem arz etmektedir. Hz. Muhammed'in elini öpen Evliya Çelebi'nin, "Şefaat ya Resulullah" yerine "Seyahat ya Resulullah" dediği ünlü seyahat rüyasının geçtiği yer olması nedeniyle, Ahi Çelebi Camii İstanbul folklorunda ayrı bir yer tutmaktadır.

Evliya Çelebi'nin ünlü seyahat rüyasının geçtiği yer olması nedeniyle, Ahi Çelebi Camii İstanbul folklorunda ayrı bir yer tutar.

AKBIYIK CAMİİ

~

Ahırkapı mevkiinde, demiryolu ile sahildeki Kennedy Caddesi arasında bulunan ve İstanbul'un en eski camilerinden biri olan Akbıyık Camii, 1464 yılında Fatih dönemi devlet adamlarından Akbıyık Muhyiddin Efendi tarafından inşa ettirilmiştir.

Bakımsızlıktan zamanla harap olan cami, Sultan Abdülhamid döneminde yeniden yaptırılmış, son olarak da 1950 yılında Anıtlar Derneği ile halkın desteği sayesinde restore edilmiştir. Günümüzde caminin ilk halinden bir iz yoktur. Bununla beraber banisi Muhyiddin Efendi'nin kabir taşlarından olduğu anlaşılan ve üzerinde h. 814 tarihini taşıyan kırık bir ayaktaşı, son yıllarda toprak altından çıkarılmıştır.

Dikdörtgen bir plana ve 192 metrekarelik iç alana sahip olan cami, ahşap çatılıdır. Duvar kalınlığı 90 santimdir. Tek şerefeli olan minare, özgün gövde ve şerefesini hâlâ korumaktadır. Caminin minberi ise sonradan konulmuştur.

Eser, İstanbul camileri içinde kıbleye göre en ileri noktada bulunduğundan "İmamü'l-Mesacid" (mescitlerin önderi) adını almıştır.

Akbıyık Mahallesi adı 1934 yılına kadar devam etmiş, bu tarihten sonra burası Sultanahmet Mahallesi'ne dahil edilmiştir.

Akbıyık Camii, İstanbul camileri içinde kıbleye göre en ileri noktada bulunduğundan "İmamü'l-Mesacid" (mescitlerin önderi) adını almıştır.

ALİ KETHÜDA CAMİİ

~

Sarıyer'de, Yenimahalle Caddesi üzerindeki Ali Kethüda Camii, Sultan II. Mustafa zamanında (1695-1703) Sadrazam Kethüdası Ali Efendi tarafından inşa ettirilmiştir.

Hadîkat-ül Cevâmî'de Sadrazam Nevşehirli Damat İbrahim Paşa'nın kethüdası Maktul Mehmed Ağa tarafından 1720-1721 yıllarında caminin onarıldığı ve camiye tuğladan bir minare eklendiği belirtilmiştir. 19. yüzyılın ortalarında tekrar onarılan caminin, 1969 yılında denizle sınır olan bodrum katındaki kayıkhane de alt kat olarak düzenlenmiştir.

Kıble doğrultusunda gelişen ve derinliği dikdörtgen bir alana yayılan cami, kâgir duvarlı ve ahşap çatılıdır. Cümle kapısı kuzey yönünde, mihrap ekseni üzerindedir. Bir bodrum kat üzerine oturan cami, kapalı bir son cemaat yeri ve harimden meydana gelmektedir. Ana mekân sekizgen kesitli, plaster başlıklı yedişer ahşap sütunla derinliğine üç nefe bölünmüştür. Sütunlar kuzey, doğu ve batı duvarları boyunca mihrap duvarına kadar uzanan fevkani (iki katlı) mahfili taşırlar. Mahfilin kuzey kanadındaki mihrabın karşısına gelen kısmı yarım daire bir çıkma yapmaktadır. Duvarlar dışarıdan kesme taş örgüsüne benzer şekilde taraklı mozaikle kaplıdır. Bütün cephelerde iki sıra halinde, dikdörtgen açıklıklı ve kesme taş söveli pencereler sıralanmıştır.

Harim bölümünün tavanı boydan boya kalın çıtalarla yapılmış, sivri uçlarında ise iç içe geçen baklava dilimleri biçiminde düzenlenmiştir. Bu düzenlemeler bazı yerlerde kare şeklinde çerçeve içine alınırken, çiçek süslemeleriyle de renklendirilmiştir. Caminin mihrabı beyaz ve siyah mermerle yenilenmiştir. Ahşap minberin kapı ve köşk kısmındaki sütunlara çubuklu süslemeler yapılmıştır. Minberin köşk kısmının üstünde sekizgen prizma şeklinde bir külah bulunmaktadır. Caminin kuzeydoğu kesiminde ise basık olarak yapılmış abdest mekânları yer almaktadır.

Kıble doğrultusunda gelişen ve derinliği dikdörtgen bir alana yayılan cami, kâgir duvarlı ve ahşap çatılıdır.

1720-1721 yıllarında camiye tuğladan bir minare eklenmiştir

Caminin içinden bir görünüm

ALİ PERTEK CAMİİ

~

Boğaz'ın mütevazı camilerinden Ali Pertek Camii, Rumelihisarı semtindedir. Perili Köşk olarak da bilinen tarihi Yusuf Ziya Paşa Köşkü'nün yakınında yer alan Camii, eski iskelenin karşındadır. Bey Camii veya Hamam Cami de denilen ve 1640 tarihinde inşa edilen ibadethanenin banisi, Pertek lakaplı Türk denizcilerinden olan Ali Bey'dir.

Ali Pertek Camii, moloz, taş ve tuğla ile inşa edilmiştir. 1937 yılına kadar ibadet edilebilmekte iken bu tarihten sonra yaklaşık 30 yıl kapalı kaldığından harap hale gelmiştir.

◄

Caminin içinden bir görünüm

1763 yılında onarım gören Ali Pertek Camii, moloz, taş ve tuğla ile inşa edilmiştir. 1937 yılına kadar ibadet edilebilmekte iken bu tarihten sonra yaklaşık 30 yıl kapalı kaldığından harap hale gelmiştir. Camii, 1960 sonrası yeniden ihya edilerek hizmete açılmıştır. Hüseyin Ayvansarayi, Hadikat'ül Cevami adlı eserinde cami hakkında bilgi verirken minberin Bayram Paşa tarafından konulduğunu belirtmektedir. Camii'nin mihrap duvarının bulunduğu köşede ise 1715 tarihli Rakım Paşa Çeşmesi yer almaktadır.

ARAP CAMİİ

~

Beyoğlu'nda, Galata'daki Perşembepazarı'nın da bulunduğu Kalyon Caddesi'nde eskiden San Paolo Kilisesi olarak bilinen ibadethane, Osmanlı devrinde camiye tahvil edilmiştir. Arap Camii, İstanbul'un Bizans döneminden kalan tek Gotik kilisesidir.

Arap Camii, semtin genelini oluşturan depo ve atölye niteliğindeki işyerlerini barındıran birbirinin benzeri beton yapılar arasında, kiremit renginde, sivri külahlı ve hayli yüksek kare biçimli kulesiyle kolayca fark edilmektedir.

Dördüncü Haçlı Seferi'nde, o dönem Konſtantinopolis adıyla anılan İſtanbul'u ele geçirmeyi amaçlayan Katolikler, kentin karşısındaki Galata'ya bir kilise inşa ettirmişlerdir. Hıriſtiyanlarca aziz olarak anılan Pavlus'a adadıkları Galata'daki bu kilisenin yanına bir de Dominiken mezhebine bağlı manaſtır yaptırmışlardır. Bu manaſtır ile yanındaki kilise, bir süre sonra mezhebin kurucusu olan San Domeniko'nun adının da eklenmesiyle "San Paolo ve San Domeniko" adıyla anılmıştır.

Fatih Sultan Mehmed, 1475 yılında bu kiliseyi camiye çevirerek vakfına katmıştır. Yirmi yıl sonra da, İspanya'dan gelen Endülüs Araplarının bir kısmının çevredeki mahallelere yerleştirilmesi sonrasında cami, "Arap Camii" olarak tanınır olmuştur. Caminin Araplara mal edilmesinin bir nedeni de, minareye çevrilen eski çan kulesinin 714'te Şam'da inşa edilen ünlü Emeviye Camii'nin özgün minaresine olan benzerliğidir.

III. Mehmed ve I. Mahmud'un annesi Saliha Sultan ve II. Mahmud'un kızı Adile Sultan değişik dönemlerde camiyi onartmış; hünkâr mahfili, sebil, çeşme, şadırvan gibi öğeler ekletmişlerdir. Özellikle Saliha Sultan'ın yaptırdığı onarımdan sonra caminin iç düzeni mahfillerin, mihrabın barok ahşap tasarımlarıyla hayli değişmiş, esere teatral bir görümün egemen olmuştur.

1913-1919 yılları arasındaki kapsamlı onarım sonucu yapı yeniden büyük bir değişime uğramıştır. Avlu duvarı yıktırılan cami genişletilerek yeniden yaptırılmış, yapıya "arabesk" bir son cemaat mahalli ekletilmiştir. Döşeme altında kalan, yüzü aşkın Latin soylusunun mezar taşları müzeye nakledilmiştir. Mihrabın yanındaki "Mesleme'nin Çilehanesi", "Arap Baba Merkadi" ve çevrede sahabelere ait oldukları ileri sürülen birkaç kabir de Arap kimliğini güçlendirerek vurgulamaktadır. Yapı Osmanlı döneminde her ne kadar büyük ölçüde İslami bir görünüm ve kimlik kazanmışsa da, inşa edildiği Gotik geçmişini az da olsa belgeleyen birtakım mimari öğeler fark edilmektedir.

Arap Camii İstanbul'un Bizans Dönemi'nden kalan tek Gotik kilisesidir.

▲

Caminin giriş kapısından bir görünüm

ASARİYE CAMİİ

~

Beşiktaş-Ortaköy yolu üzerindeki Asariye Caddesi ile Asariye Çıkmazı'nın kesiştiği köşededir. Cami, 1829 yılında II. Mahmud döneminde inşa edilmiştir.

Daha önce Asariye Camii'nin yerinde 16. yüzyılda Kılıç Ali Paşa tarafından yaptırılan bir başka caminin bulunduğu bilinmektedir. Günümüzde artık mevcut olmayan eski caminin inşa edildiği dönemde, önündeki deniz henüz doldurulmadığından bir de iskele olduğu yazılı kaynaklarda belirtilmektedir.

Hadikat'ül Cevami'de, yıkılan Kılıç Ali Paşa İskelesi Camii'nin yerinin değiştirilerek Nevşehirli Damat İbrahim Paşa tarafından yeniden yaptırıldığı kaydedilmiştir. Son şeklini ise II. Mahmud döneminde (1808-1839) alan Asariye Camii'nin avlusunda muhafaza edilen II. Mahmud tuğralı kırık kitabe bu durumu kanıtlamaktadır. Yapının mimari özellikleri ve üslubu da bu döneme uygundur. Caminin kuzeybatı köşesinden dikdörtgen şeklinde bir çıkma yapan hünkâr kasrı, sütunlu girişiyle caminin oldukça gösterişli bölümünü oluşturmaktadır.

1960 yılında büyük bir tamirat geçiren caminin, daha sonra bazı bölümlerinde bir süre müftülük hizmetleri verilmiş, en son 2001-2004 yılları arasında tarihi dokuya zarar vermeden boyanmış ve onarım yapılmıştır.

Asariye Camii, toplam 820 metrekarelik bir alana sahiptir ve tek kubbeyle örtülüdür. Cami, ahşap bir hünkâr mahfili, yine ahşaptan müezzin mahfili ile kadınlar mahfili ve kare kesitli yüksek bir kaidenin üzerine inşa edilen kesme taştan ve tek şerefeli minareli bir yapıdan oluşmaktadır.

Caminin iki giriş kapısı vardır. Birisi batı tarafından ve doğrudan hünkâr mahfiline girilen kapı, diğeri ise caminin kuzeyinde bulunan ve Asariye Çıkmazı'ndan girilen küçük bir taşlıktan sonra açılan etrafı ahşap söveli iki kanatlı bir kapıdır. Caminin cümle kapısı olan bu kapıdan, son cemaat yeri diyebileceğimiz mahfillere geçişi sağlayan bir ara mekâna girilmektedir.

Son cemaat yeri hilal şeklindedir. Doğu ve batı tarafından açılan kapılarla üst mahfillere geçiş sağlanmaktadır. Tavanı ve tabanı ahşaptır. Kuzey cephe duvarında iki, doğu cephe duvarında ise üç adet dikdörtgen söveli, ahşap, demir parmaklıklı beş adet penceresi bulunmaktadır. Duvarları sade boyalı olup, duvar altları ahşap lambriyle kaplanmıştır.

Asariye Caddesi'ne açılan hünkâr mahfili, sütunlu girişi ve üzerinde yer alan çıkmasıyla yapıya etkileyici bir görünüm katmaktadır. Caminin kuzeydoğu köşesinde ise hünkâr mahfilinin simetriği olan ve aynı biçimde bir çıkmayla donatılmış, şebekesiz müezzin mahfili bulunmaktadır.

Hünkâr mahfilinin harime bakan yüzü bir cumba şeklinde çıkıntı yaparak harime taşmaktadır. Bu cephe, ahşap bir çerçeve içerisinde altın sarısı renge boyanmış metal işçiliğinin mahir ellerle işlenen ustalığının örneği bir metal panjurla örtülüdür.

Girişinde, son cemaat yerinin doğu tarafından dar ve ahşap merdivenlerle olan müezzin mahfili bulunmaktadır. Tamamen ahşap, aynı özellikteki beş pencereyle aydınlık alan ve harime bakan yüzü ahşap bir cumbayla taşkındır. Minareye giriş kapısı da bu bölümün kuzey duvarından açılmaktadır.

İkinci katta hünkâr mahfili ile müezzin mahfiline geçişi sağlayan bir bölüm bulunmaktadır. Üç pencereyle aydınlatılan bu bölümün harime bakan yüzü bombeli bir şekilde ahşap panjurla örtülüdür.

Caminin kuzeydoğu köşesindeki silindir gövdeli kesme taş minarenin kare dairesi gövdeye kadar yükselmektedir. Minarenin şerefesinin altına kadar madeni akant yaprakları aplike edilmiştir. Sekizgen yıldızlarla süslü şerefe korkuluklarının alt kısmına girland kabartmaları yerleştirilmiştir. Minarenin kesme taş yuvarlak gövdesinin üstünde yivli bir bilezik bulunmakta, peteğin en üst kısmında da bir yıldız dizisi görülmektedir. Minarenin en dikkat çekici tarafı Mevlevi sikkesi şeklinde olan boğumlu külahıdır.

Bu caminin minaresi, Sultan Abdülaziz ve Sultan Abdülhamid devirlerinin minare mimarisi karakterine uygun olarak yabancı menşeili tezyinatla kaplıdır.

Asariye Camii, 1829 yılında II. Mahmud döneminde inşa edilmiştir. Caminin yerinde daha önce 16. yüzyıldan kalma Kılıç Ali Paşa tarafından yaptırılan başka bir cami bulunduğu bilinmektedir.

Caminin tavan süslemelerinden bir örnek

AYASOFYA

~

Ayasofya, dünyanın merkezinde (Milion Taşı'nın karşısında) yer almaktadır. Sultan Ahmed Camii'yle karşı karşıya bulunan mabet, dünyanın sekizinci harikası sayılmaktadır. Ayasofya dediğimiz bazilikanın orijinal adı Hagia Sofia olup, eser Kutsal Bilgelik'e ithaf edilmiştir.

Ayasofya'nın bulunduğu yerde daha önce de aynı adı taşıyan iki kilise yapılmış, ancak bunlar yangın nedeniyle yok olmuştur. İmparator İustinianos, Roma İmparatorluğu'nun eski siyasal gücünü sağlamaya çalışırken, burayı iddialı planlarını destekleyici büyüklükte bir kilise olarak inşa ettirmiştir.

916 yıl boyunca kilise olarak kullanılan Ayasofya, 481 yıl boyunca da camii olarak hizmet verlmiştir. Cumhuriyet döneminde ise Atatürk'ün emri üzerine 1935 yılında çıkarılan bir kanunla müzeye çevrilmiştir.

İmparator İustinianos, kilisenin mimarı olarak matematikçi Tralles'li Anthemius ve geometri bilgini Miletos'lu İsidoros'u görevlendirmiştir. Tamamlandıktan kısa süre sonra bir kısmı depremde çöken kilise, destek duvarları ve onarımlarla eski haline getirilmiştir.

Dış görünümünden çok, içinin etkileyiciliğine önem verilen binanın inşası için, 100 ustanın emrinde imparatorluğun dört bir yanından getirilen esirler çalışmıştır. Yüzölçümü 7.570 metrekare olan ve uzunluğu 100 metreyi geçen mabette, imparatorların taç giyme törenleri ve zafer kutlamaları gibi önemli törenler de yapılmıştır. Bu eser 1204'te, 4. Haçlı Seferleri sırasında da büyük bir yağmaya sahne olmuştur.

İstanbul'un fethiyle birlikte minare, mihrap, minber gibi İslami öğeler eklenerek camiye çevrilen Ayasofya'ya Allah, Muhammed, Ebubekir, Ömer, Osman, Ali, Hasan ve Hüseyin levhaları asılmıştır. Dört minaresi de farklı padişahlar tarafından yaptırılan Ayasofya'daki resimler ve mozaikler, üzerine badana çekilerek örtülmüştür. Osmanlı İmparatorluğu'nun en büyük mimarı olan Mimar Sinan tarafından gerçekleştirilen binanın onarımının yanı sıra temeli de çepeçevre demir kuşakla sarılarak güçlendirilmiştir. 916 yıl boyunca kilise olarak kullanılan Ayasofya, 481 yıl boyunca cami olarak hizmet vermiştir. Eser, Cumhuriyet döneminde ise Atatürk'ün emri üzerine 1935 yılında çıkarılan bir kanunla müzeye çevrilmiştir.

AYAZMA CAMİİ

~

Üsküdar'da bulunan cami, Sultan III. Mustafa tarafından annesi Mihrişah Emine Sultan ile kardeşi Şehzade Süleyman adına 1760-1761 yıllarında Mimarbaşı Mehmed Tahir Ağa'ya yaptırılmıştır. Cami, adını daha önce burada bulunan Ayazma Sarayı ve bahçesinden almıştır.

Camiye üç kapılı avludan merdivenle çıkılmaktadır. Mimari stil olarak Batı etkilerinin görüldüğü caminin minaresi tek şerefeli ve merkezi kubbelidir. Kubbe, dört taşıyıcı payandaya oturtulmuştur ve tabanı mermer döşelidir. Güney cephesinde III. Mustafa Türbesi'nde olduğu gibi bir kuş evi mevcuttur. Minberi oymalı renkli mermerden, mihrabın içi kırmızı somakidendir.

Binanın doğusundaki hünkâr mahfilinin duvarlarında İtalyan çinileri kullanılmıştır. Cami içinde Hattat Seyyid Abdullah ve Hattat Seyyid Mustafa'nın yazıları vardır. Yapının haziresinde birçok mezar bulunmaktadır. Caminin sol köşesindeki çeşme Şair Zihni'nin kitabesiyle süslüdür.

Cami, adını daha önce burada bulunan Ayazma Sarayı ve bahçesinden almıştır.

AZİZ MAHMUD HÜDAÎ EFENDİ CAMİİ

~

Üsküdar'da bulunan caminin banisi, Mihrimah Sultan ve Rüstem Paşa'nın kızı Ayşe Hanım Sultan'dır. Eser h. 1003 (1594) tarihinde Aziz Mahmud Hüdaî Efendi adına yapıldığından, bu isimle anılmaktadır.

Aziz Mahmud Hüdaî Efendi Camii, bir bakıma Hırka-i Şerif'in Fatih'e kattığı manevi zenginliğin bir benzerini Üsküdar'a katmıştır. Cami, çevresindeki imaret, türbe, kütüphane, hünkâr mahfili, çeşme, derviş hücreleri, şeyh evi, fırın ve bir hamamdan oluşmaktadır.

Yaklaşık 10.000 metrekarelik çok geniş bir alana yayılan bu külliyeye, Aziz Mahmud Hüdaî Efendi ve Mektep sokaklarına açılan avlu kapılarından girilmektedir. Kapının sağ tarafında Kethüda Mehmed Paşa'nın, sol tarafında ise Hüdaî Efendi'nin iki çeşmesi vardır. Yine aynı yerde bulunan iki ahşap meşrutadan sağdaki Kapıcı Baba'nın meşrutasıdır.

Merdivenli bir yokuş olan avlunun biraz ilerisinde, sağ tarafta bir hazire, sol tarafta şeyhler kabristanı yer almaktadır. Soldaki meşrutanın yanında, tonoz damlı ve kapısı kesme taş söveli kâtipler odası bulunmaktadır. Vaktiyle burada, dergâhın çok büyük olan gelir giderlerinin hesapları yapıldığı gibi, kıymetli mücevheratın da saklandığı bilinmektedir. Hazine dairesi de denilen bu dairedeki yevmiye defterleri, 1976 senesinde Hüdaî Efendi Türbesi'ne taşınmıştır.

Hüdaî Efendi'nin oğlu, Mustafa Ebrar Efendi h. 1004 senesinde vefat ederek şimdiki türbenin bulunduğu yere defnedilmiş, ardından burada türbe yapılmıştır. Şeyhler haziresinin yanında Hüdaî Efendi Türbesi ve türbe camekânı karşısında ise imaret kapısı vardır. Hünkâr mahfilinin altından geçerek küçük bir meydana gelinir. Burada, *Hadîkat-ül Cevâmi*'de bahsedilen binalardan iz kalmamıştır. Meydanın sağ tarafında Lütfi Ağa Kütüphanesi, sol tarafında ise cami bulunmaktadır.

Aziz Mahmud Hüdaî Efendi Camii, bir bakıma Hırka-ı Şerif'in Fatih'e kattığı manevi zenginliğin bir benzerini Üsküdar'a katmıştır.

▲
Merdivenli avluda bulunan hazire ve şeyhler kabristanından bir görünüm

BALİ PAŞA CAMİİ

~

Fatih'te, Bali Paşa Caddesi'ndeki Hoca Efendi Sokağı'ndadır. Kesme taştan inşa edilen caminin minaresi sağ tarafındadır. II. Bayezid'in veziri Bali Paşa'nın başlattığı ancak bitiremediği camiyi, karısı Hüma Sultan 1504'te tamamlatmıştır.

Tek kubbeli cami kare plana sahip olup, pandantiflidir. Altı sütuna dayanan ve beş kubbeli son cemaat yeri bulunan ibadethane, Mimar Sinan'ın eseridir. *Tezkiret-ül Bünyan* ve *Tezkiret-ül Mimarin* adlı temel kitaplarda da caminin mimarı Mimar Sinan olarak belirtilmektedir. Kare planlı yapı, 12 metre çapında bir kubbeyle örtülüdür. Caminin sağında sadece Mimar Sinan'ın eserlerinde görülen çubuklu gövdeli minaresi, solunda mahfil girişleri bulunmaktadır.

Caminin kıble ana giriş kapısı Hoca Efendi Sokağı'ndadır. Kare planlı cami, avlusu dahil 900 metrekarelik bir alanı kaplamaktadır. Giriş kapısının sağındaki yeni harfli kitabede ise caminin Hüma Hatun tarafından imar edildiği yazılıdır. Son cemaat yerindeki alınlıkta imar tarihi olarak 1494 yazmaktadır.

> Tezkiret-ül Bünyan ve Tezkiret-ül Mimarin *adlı temel kitaplarda da caminin mimarı Mimar Sinan olarak belirtilmektedir.*

► *Caminin ana giriş kapısı*

Taşla tuğla karışımı dış duvarların iç kısmındaki bahçenin giriş ve sağ tarafı boydan boya ağaçlıklıdır. Sağ tarafta daha geniş olan alanın yan tarafı, musalla taşı ile cenaze namazı kılınan yere ayrılmıştır. Sol tarafta sekizgen kurşun çatılı mermer şadırvanın arkasında hazire, önünde tuvaletler bulunmaktadır.

Bali Paşa Camii, Cumhuriyet'in ilk yıllarında ve sonrasında yapılan onarımlar sayesinde hâlâ ayaktadır. Üç ya da dört büyük yangın ve deprem geçiren cami kısmen yıkılmış, 1935'te Ekrem Hakkı Ayverdi tarafından, son olarak da 2007 yılında tamir edilip bakım yapılmış, 2008'de yeniden ibadete açılmıştır. Yangınlar ve depremler sonucu sıklıkla tahrip olan yapının iç süslemeleri yakın zamana aittir.

Yerden bir metre kadar yükseklikteki son cemaat yeri, sol taraf mahfil girişi alınlığında bir vakfiye beyaz mermer üzerine beyaz hurufatlıdır. Caminin sahınına giriş kapısından geçildiğinde, klasik geniş çemberli şamdan göze çarpmaktadır. Sağ ve solda, içe yapılmış payandalar üçer bölüm oluşturmaktadır ve bunların üstünde ahşap parmaklıklı mahfil balkonu bulunmaktadır. Kubbe ve çevresinde ayet ve hadisler yazılıdır. Payandası dışarı verilmiş mihrabın üstünde iki büyük işlemeli pencere bulunmaktadır. Minber, mihraba yakındır. Pencereler dışardan ve içerden parmaklıklıdır. Sol tarafta bir kuş evi yer almaktadır.

Bali Paşa Camii'nin şadırvanıyla beraber, Bali Paşa ve Hüma Hatun'un türbelerinden günümüze bir iz kalmamıştır.

BEBEK CAMİİ

~

Kesme küfeki taşından inşa edilen caminin kubbesi, yanlarda dört yarım kubbeyle desteklenmiştir

▼

Cami, Boğaziçi'nin en kalabalık ve en lüks semti olan Bebek'tedir. Bebek-Rumelihisarı yolunun deniz tarafında, Bebek Vapur İskelesi'nin batısındadır. 1725-1726 (h. 1138) yıllarında III. Ahmed'in sadrazamı Nevşehirli Damat İbrahim Paşa tarafından Bebek sayfiye yeri olarak düzenlenirken, Hümayunâbâd Kasrı'nın yanına III. Ahmed adına bir cami yaptırılmıştır. Ayvansarayi Hüseyin Efendi tarafından *Hadikat-ül Cevâmi*'de, fevkani olarak inşa edildiği ifade edilen caminin padişah mahfili bulunduğu, alt katının ise mektep olarak kullanıldığı belirtilmektedir. Zamanla bakımsızlıktan eskiyince Evkaf Nazırı Mustafa Hayri Efendi tarafından yıktırılıp, 1913 yılında aynı yerde zamanın başmimarı Kemaleddin Bey'e bugünkü cami yaptırılmıştır. Bu eser, bir Osmanlı dönemi camisi olmakla birlikte neoklasik denilen ulusal mimarlık üslubu içinde de değerlendirilmektedir. Cami, sekiz köşeli kasnağa oturan büyük kubbeyle örtülüdür. Kesme küfeki taşından inşa edilen caminin kubbesi, yanlarda dört yarım kubbeyle desteklenmiştir. Yapı genel hatlarıyla kare planlı ve tek kubbeli olup, üç gözlü son cemaat yerine sahiptir. Mihraptaki yazı, Hattat Hüseyin Macit Ayral'a aittir.

Camideki iki kitabeden biri son cemaat yeri girişinde, diğeri harim kapısının üzerinde yer almaktadır. Yapının inşa tarihini veren son cemaat yeri girişinin üzerindeki kitabede "Ketebehu Hakkı" imzası bulunmaktadır.

Minberin oymaları ve kemerleri oldukça hareketli bir görünüme sahiptir. Harim bölümüne girilen kapının iki tarafında da ahşap korkuluklarla çevrilmiş iki ayrı kısım bulunmaktadır. Bu kısımlardan soldakinden yine ahşap bir merdivenle üst mahfile çıkılmaktadır. Vaaz kürsüsü de minber gibi ahşaptır. Kasnaktaki 16 adet pencere, içten firuze renkli düz camlarla renklendirilmiştir.

BAYEZİD CAMİİ

~

Sultan Bayezid'in yaptırıp kendi adını verdiği caminin cümle kapısındaki Şeyh Hamdullah'ın yazdığı kitabeye göre eser, 1501-1506 yılları arasında inşa edilerek ibadete açılmıştır.

Caminin sahın kısmı derin, iki yanı ise uzundur. Ana kubbesi dört filayağı ve iki kırmızı porfir sütuna oturan caminin sahın kısmında iki yarım, yanlarında ise dörder kubbe bulunmaktadır. 1509'daki Kıyamet-i Suğra denilen depremde Bayezid Camii de ciddi hasar görmüştür. Yapı, deprem sonrasında elden geçirilerek tamir edilmiştir. Caminin üç kapılı, yirmi beş kubbeli, mermer döşeli şadırvanlı avlusu ve birer şerefeli iki minaresi bulunmaktadır.

509'daki Kıyamet-i Suğra denilen depremde Bayezid Camii de ciddi hasar görmüştür.

Eski bir kartpostalda Bayezid Camii. 1372
▼

Mihrabın ön tarafında Sultan Bayezid'in türbesi-
nin yanı sıra Selçuk Hatun ve Büyük Reşid Paşa'nın mezarları
bulunmaktadır. Kıbleye dönük girilen cümle kapısı, İstanbul
Üniversitesi'ne bakmaktadır. Fatih'in geçici süre ikamet etmesi
nedeniyle Eski Saray da denilen bina, Osmanlı Devri'nin so-
nuna kadar Harbiye Nezareti olarak kullanılmıştır. Caminin
sağında Devlet Kütüphanesi, solunda ise günümüzde Vakıf
Hat Sanatları Müzesi olarak kullanılan medrese binası görül-
mektedir. Bu müzede Hz. Muhammed'in kabir toprağı, Saç-ı
Şerifi, Kâbe örtüsü gibi kutsal emanetler bulunmaktadır.

Cümle kapısının önündeki Beyazıt Meydanı, impa-
ratorluktan günümüze kadar çok sayıda siyasal ve toplumsal
olaya sahne olmuştur. Nice bilim ve sanat olayı da cümle ka-
pısından girip soldaki kapıdan çıkınca karşılaşılan Çınaraltı ve
Sahaflar Çarşısı'nda sahne almıştır. Çarşının ilerisinde Kapa-
lıçarşı bulunmaktadır. Türbenin sağ yanında Hakkı Tarık Us
Kütüphanesi adıyla hizmet veren ve binlerce nadir kitabı içinde
barındıran Şeyhülislam Veliyüddin Efendi'nin yaptırdığı kü-
tüphane yer almaktadır.

15

BEYLERBEYİ CAMİİ

~

Hamid-i Evvel Camii olarak da anılan Beylerbeyi Camii, İstanbul'un Anadolu yakasında, Beylerbeyi semtindedir. İnşaatına 3 Nisan 1777 tarihinde başlanan cami, 15 Ağustos 1778 (h. 1192) tarihinde tamamlanmıştır. Eser, I. Abdülhamid tarafından annesi Rabia Sermi Sultan'ın anısına dönemin baş mimarı Mehmed Tahir Ağa'ya yaptırılmıştır. Bina emini ise Şehremini Hafız el-Hac Mustafa Efendi'dir.

Daha önceleri burada yükselen İstavroz Sarayı'nın 18. yüzyılın ortalarında yıkılmasından sonra cami, I. Ahmed'in İstavroz Sarayı'na taşıdığı Hırka-ı Şerif dairesinin bulunduğu yere inşa edilmiştir. Barok üsluptaki caminin taşıyıcı duvarları kesme taştan inşa edilmiştir. Merkezi tek kubbeli mihrap, üstü yarım bir kubbeyle vurgulanmış sekizgen tabana oturan bir yapıdır. 55 pencereli ve iç mekânda kalem işleriyle süslü duvarlarda hem Osmanlı hem de Avrupa çinileri göze çarpmaktadır.

Daha önceleri burada yükselen İstavroz Sarayı'nın 18. yüzyılın ortalarında yıkılmasından sonra cami, I. Ahmed'in İstavroz Sarayı'na taşıdığı Hırka-i Şerif dairesinin bulunduğu yere inşa edilmiştir.

◄

Kalem işleriyle süslü iç mekândan bir görünüm

1810-1811 yıllarında II. Mahmud'un isteği üzerine yapının son cemaat yeri değiştirilmiş ve minaresi yıkılarak iki yeni minare eklenmiştir. Ayrıca II. Mahmud, muvakkithaneyi ve kıyı tarafındaki çeşmeyi de komplekse dahil etmiştir. Caminin 14.60x14.60 metre boyutlarına sahip ana mekânındaki tavan örtüsü bir tam ve beş yarım kubbeyle örtülüdür ve sıra dışı bir şekilde iki kasnağa oturtulmuştur. Üstteki kasnağın çevresini dolanan yirmi pencere ile kubbe aydınlığı sağlanmıştır. Camide sivri, yuvarlak, "s" ve "c" kıvrımlı dört farklı kemer örneği kullanılmıştır.

1969 yılında ciddi bir restorasyondan geçen Beylerbeyi Camii'nin kubbesindeki ahşap bölüm 13 Mart 1983 tarihinde bitişiğinde bulunan İsmail Paşa Yalısı'nda çıkan yangında zarar görerek çökmüştür. Vakıflar Genel Müdürlüğü tarafından hızlı bir şekilde restore edilen cami, aynı yıl ibadete açılmıştır.

16

BODRUM - MESİH PAŞA CAMİİ

~

Fatih'te, Laleli semtindeki Said Efendi Sokağı'ndadır. Osmanlı döneminde II. Bayezid'in sadrazamı Mesih Paşa tarafından 16. yüzyılın başlarında camiye tahvil edilmiştir.

I. Romanos Lekapenos (920-944), 7. yüzyıla ait bir kilise yıkıntısının yerine özel sarayını yaptırmış, sonrasında da burayı Mirelaion (kokulu yağ, misk) adını verdiği bir manastıra dönüştürmüştür.

Bodrum-Mesih Paşa Camii, Osmanlı döneminde II. Bayezid'in sadrazamı Mesih Paşa tarafından 16. yüzyılın başlarında camiye çevrilmiştir.

Bu manastırdan günümüze bir duvar parçasıyla kilisesi ulaşmıştır. Camiye çevrilen bu kilisenin dış duvarları taş ve tuğla karışımıdır. Ortadaki sütunların taşıdığı merkezi kubbe, çevresi pencereli yüksek bir kasnak üzerindedir.

Kubbeyi dört yandan dört beşik tonoz destekleyerek, orta mekânda bir Yunan haçı oluşturmaktadır. Yapının doğu tarafında içten yarım yuvarlak, dıştan üç cepheli bir apsis ile iki yanında yonca biçiminde planlanmış hücreler bulunmaktadır. Kubbenin orijinal hali korunmuştur. Caminin yanında bir de sarnıç yer almaktadır.

1911'de gerçekleşen ve Mercan'dan Laleli'ye kadar uzanan büyük yangında harap olan bina uzun süre kullanılmamıştır. Eser adeta yıkılmaya yüz tutmuşken, 1950 ve 1965 yıllarında çevresi temizlenerek tamir edilmiş, 1985'te ise Vakıflar Bölge Müdürlüğü'nce onarılıp yeniden cami olarak ibadete açılmıştır.

▲

Esere sonradan dahil edilen minareden bir görünüm

17

BÜYÜK PİYALE PAŞA CAMİİ

~

Kasımpaşa semtinin Kaptanpaşa Mahallesi'nde bulunan yapıt, Mimar Sinan eseridir. Cami ünlü Türk denizcilerinden Kaptanıderya Piyale Mehmed Paşa tarafından 1573'te inşa ettirilmiştir.

Büyük Piyale Paşa Camii, Mimar Sinan'ın Selimiye Camii'yle aynı dönemde ele aldığı eserlerden biridir. Külliye olarak inşa edilen eser, Kasımpaşa'nın kuzeyinde, o zamanlar denize kıyısı olan bir vadide yer almaktadır.

Dikdörtgen biçimindeki cami, iki büyük granit sütunla kemerler üzerine, her biri ortalama 9 metre çapında altı adet kubbeyle örtülmüş, yanlara doğru tonozlarla biraz daha genişletilmiştir. Külliyeden, cami ve türbe ile cami avlusundaki çeşmenin musluk kısımları günümüze ulaşmış; medrese, tekke ve sıbyan mektebi ile çarşıdan ise geriye hiçbir iz kalmamıştır. Cami yanındaki türbede, Piyale Paşa ile Gevher Sultan'ın yedi kızı ve dört oğlu yatmaktadır.

Bu çok sütunlu ibadethane, altı kubbeli ve dikdört-gen planlıdır. Caminin ortasındaki iki büyük sütuna dayanan kubbelerin ağırlığı, duvarlardaki yan direklerle temele kadar inmektedir. Caminin üç tarafı kemer ve tonozludur; minaresi ise bunların üzerindedir.

Caminin banisi Piyale Paşa'nın türbesi mihrap tara-fındadır. Mihrapta kullanılan ve o dönemin en kaliteli ve ünlü çinisi olan İznik çinileri üstün birer sanat eseridir.

Mimar Sinan'ın Selimiye Camiî'yle aynı dönemde ele aldığı eserlerden biridir. Mihrapta kullanılan ve o dönemin en kaliteli ve ünlü çinisi olan İznik çinileri üstün birer sanat eseridir.

18

BÜYÜK SELİMİYE CAMİİ

~

Üsküdar'da bulunan cami, Selimiye Kışlası'nın bitişiğindedir. Sultan III. Selim tarafından inşa ettirilen caminin inşaatına 1801'de başlanmış, 1805'te tamamlanmıştır. Sultan III. Selim, kısa bir müddet sonra kazan kaldıran yeniçeriler tarafından öldürülmüştür.

Cami, geniş bir dikdörtgen avlunun içindedir. Avlunun dört ayrı yönünde birer giriş bulunmaktadır. Esas giriş batıda olup, buraya on basamaklı bir merdivenden çıkılmaktadır. Ana mekânın üzerini örten kubbe tuğlayla örülmüştür ve üzeri kurşun kaplıdır.

Caminin batı cephesinde iki katlı hünkâr dairesi vardır. Mermer sütunlar üzerine oturan bu dairenin sağdaki kısmı padişahın namaz kılması, soldaki ise dinlenmesi ve ziyaretçilerin kabulü için ayrılmıştır.

Süsleme bakımından oldukça zengin olan Büyük Selimiye Camii'nin kubbesi kalem işleriyle, kubbe göbeği ise ayetlerle bezelidir.

Büyük Selimiye Camii'yle beraber ayrıca mektep, muvakkithane, çeşme ve bir de sebil inşa edilmiştir. Deniz tarafında ise Selimiye Kışlası bulunmaktadır. Ayrıca Selimiye adıyla anılan kadife ve kumaş imalathaneleriyle bir de hamam yaptırılmıştır.

Cami Barok stilinde olup planı karedir ve tek kubbeyle örtülmüştür. Üç ulu çınarın gölgesinde güzel bir bahçe içinde yer alan cami bol pencereli olup, kemerler üzerinde yükselen bir kubbeye ve köşelerde zarif ağırlık kulelerine sahiptir. Yapının içi, dışarısı kadar göz alıcı değilse bile çok sayıda pencereleriyle bol ışıklı ve ferahtır. Kubbeyi tutan kemerler, aynı stilde konsollarla kuvvetlendirilmiştir. Caminin yanında mektep ile hünkâr dairesi yer almaktadır.

Zamanında minaresi kalın görüldüğünden inceltilmiş, 1822 yılındaki bir fırtınada harap olunca da tamir edilmiştir. Cumhuriyet dönemine gelince, 1950'li yıllarda cami ve müştemilatı esaslı bir tamirden geçirilmiştir. Bu arada kumaş dokuma imalathanesinden günümüze bir iz kalmamıştır.

◄

Caminin bahçeden görünümü

19

CERRAH MEHMED PAŞA CAMİİ

~

Fatih'te Cerrahpaşa semtindedir. Banisi Cerrah Mehmed Paşa olan ve 1594'te Mimar Davud Ağa tarafından inşa edilen caminin avlusu dört kapılıdır. Ana kubbesi altı filayağına yaslanan ve tek şerefeli bir minaresiyle mermerden bir minberi olan camiye üç kapıdan girilmektedir.

Cerrah Mehmed Paşa, Enderun'dan yetişmiş Hasoda ağalarındayken, Şehzade Mehmed'i sünnet etmekteki mahareti sayesinde yeniçeri ağalığıyla saraydan çıkmış, daha sonra da kubbe veziri olmuştur. 1598 senesinde ikinci vezirliğe, Hadım Hasan Paşa'nın katli üzerine veziriazamlığa getirilmiştir.

Cerrah Mehmed Paşa, nıkris hastalığından dolayı görevini yapamayınca emekli edilmiş, yerine Damat İbrahim Paşa getirilmiştir (1599).

1694 yılının Ocak ayında vefat eden Cerrah Mehmed Paşa, kendi adı kendi adıyla anılan caminin avlusundaki türbesine defnedilmiştir. Cerrah Mehmed Paşa Camii külliye niteliğinde olup, medrese, mektep, sebil, çeşme, şadırvan ve dershanesinin yanı sıra çifte hamamdan oluşmaktadır. Cerrah Mehmed Paşa, veziriazam olarak 11 ay kadar görev yapmıştır.

Cerrah Mehmed Paşa Camii külliye niteliğinde olup, medrese, mektep, sebil, çeşme, şadırvan ve dershanesinin yanı sıra çifte hamamdan oluşmaktadır.

CEZERÎ KASIM PAŞA CAMİİ

~

Babıâli Yokuşu olarak da bilinen Ankara Caddesi üzerinde, Cağaloğlu Meydanı'ndadır. Caminin ilk yapım tarihi 1515'tir. Bu yapı 1866 yılında tamir edildiyse de, 1950'lerde yol genişletme çalışmaları sırasında yıkılmıştır. Caminin yeniden ihyası ise 1989 yılında olmuştur. İki katlı bu camiye adını veren Kasım Paşa'nın (İbn Cezerî'den ötürü Cezerî lakabını almıştır) aynı adlı bir camisi de Eyüp semtindedir.

Caminin mermer giriş kapısından alt kata inilerek, tuvaletler ve aptesliklerin olduğu kısma ulaşılmaktadır. Zemin katında kültür hizmeti veren Türkiye Diyanet Vakfı'nın işlettiği bir kitabevi bulunmaktadır. Caminin minaresi kıbleye göre sağ köşededir. Dış kapıdan yüksek merdivenlerle mihraplı son cemaat yerine çıkılmaktadır. Ana kapı ise buranın sağındadır. Yaklaşık 200 metrekarelik bu ana bölümdeki mihrap ve yan duvarlar tarihi çinilerle kaplıdır. Üst kat hanımlara ayrılmıştır. Kubbeli bu bölümde, kubbe ve çevresi hatlı ve süslemelidir. Caminin içinde küçük mermer bir kürsü vardır. Ortada büyük bir avize ve yanlarda daha küçükleri bulunmaktadır. Meydandan bakıldığında caminin 10 penceresi yan yana sıralı görülmektedir.

İki katlı bu camiye adını veren Kasım Paşa'nın aynı adlı bir camisi de Eyüp semtindedir.

CİHANGİR CAMİİ

~

Osmanlı Devleti'nin 1453 yılında İstanbul'u fethetmesiyle birlikte şehirde geniş bir imar hareketi başlatılmıştır. Fakat her nedense Osmanlı Hanedanı üyeleri, kentin Galata bölgesinde bir asrı aşkın bir süre yapısal faaliyette bulunmamıştır. İlk kez 1559'da Kanuni ve Hürrem Sultan'ın en küçük oğulları Cihangir'in ölümü üzerine burada Mimar Sinan'a küçük bir cami yaptırılmıştır. Fındıklı yamaçlarındaki bu yapı, günümüze erişemeyen tek minareli, küçük bir camidir.

Bir zamanlar bir Pagan tapınağının veya bir manastırın bulunduğu yamaçta, Ayvansarayi'nin yazdığına göre şehzadenin saraydan her gün gördüğü bu yerde Mimar Sinan'a küçük bir cami yaptırılır. Zamanla yok olan bu caminin özgün şekli hakkında elimizde ayrıntılı bir bilgi bulunmamaktadır. Sadece 1580 tarihli bir çizimden, caminin tek minareli ve kırma ahşap çatılı olduğu anlaşılmaktadır.

Yapının küçük ölçekte tasarlanıp inşa edilmesinin, o dönem cemaatin çok olmayışından kaynaklandığı düşünülmektedir. Caminin çevresinde sonradan oluşan ve zamanla gelişen mahalle de Cihangir adıyla anılmıştır. Yapıldığı yıllarda kıyıdan yamaca doğru uzanan koruluklar içinde etrafında başka yapının olmadığı yalnız bir camidir. Evliya Çelebi, Fındıklı'dan dik merdivenle çıkılan ve o günün İstanbul'unu neredeyse tamamen gören camiyi, köşk ve konakların çatı katlarına yapılan seyir kısmına benzeterek, "cihannüma" olarak nitelemektedir. Caminin yanına sıbyan mektebi yapılmış, altmış yıl kadar sonra da bir Halveti Tekkesi kurulmuştur. Beş büyük yangın geçiren mahalleyle birlikte her seferinde cami ve tekke de onarılarak ihya edilmiştir. Cihangir Camii, bugünkü haliyle 1889'da II. Abdülhamid tarafından yenilenmiştir.

Cihangir Camii, 1889'da II. Abdülhamid tarafından yenilenmesinin ardından bugünkü halini almıştır. 19. yüzyıl ortalarından sonra yaygınlaşan tipolojiye uyan cami kare planlı, tek kubbeli ve iki minarelidir.

▲

II. Abdülhamid tarafından yenilenen Cihangir Camii

Cihangir Camii'nin Boğaz'dan görünümü

Günümüzdeki cami, 19. yüzyıl ortalarından sonra yaygınlaşan tipolojiye uygun, kare planlı, tek kubbeli ve iki minareli bir yapıdır. Eğimli bir arazide bulunan caminin iştinat duvarlı avlusunun iki kapısı vardır. Köşeleri kuleli dört büyük kemere oturtulmuş olan kubbenin, kemer içleri yelpaze biçimli ışınsal pencerelerle doldurulurken, altta da kemerli sıra pencereler yer almaktadır.

Caminin çeşmesi duvara bitişiktir. Hazirede tekke şeyhi Hasan Cihangiri yatmaktadır. Doğu duvarında bir sarnıç ve kuzey duvarında bir mermer levha üzerinde kabartma işi bulunmaktadır. Son cemaat yeri kapalı olup, iki yanı kubbe, ortası çapraz tonozdur. Caminin iki köşesinde tek şerefeli iki minaresi bulunmaktadır.

22

ÇİNİLİ CAMİ

~

Üsküdar'ın Murat Reis Mahallesi'ndeki bu külliye, Çavuşdere Caddesi ile Çinili Mescit Sokağı'nın birleştiği yerdedir. Eser, Sultan İbrahim'in (1640-1648) döneminde Kösem Valide Sultan tarafından Mimar Kasım Ağa'ya yaptırılmıştır. Cami, medrese, sebil, su havuzu ve hamamdan oluşan bu külliyenin bir bölümü de sıbyan mektebidir.

İki avlu kapısı olan caminin kuzey kapısının üstünde, şair Fevzi'nin on iki mısralık tarih manzumesi vardır. Caminin avlusunda sekiz sütunlu bir kubbenin altında mermer şebekeli şadırvan bulunmakta, üç tarafını yirmi mermer sütunlu bir saçak örtmektedir.

Muntazam kesme taşla yapılan cami minaresinin şerefenin altında akantus yapraklarından süsler mevcuttur. Birkaç basamakla çıkılan son cemaat yeri çinilerle kaplıdır.

Cami kapısının üstünde, iki satır halinde şair Himmet'in sülüs yazılı tarih manzumesi vardır. Cami tek ve sağır kubbelidir. İçi, kubbe kasnağına kadar Sinan Mektebi devrinin muhteşem çinileriyle kaplıdır. Süsleme tarihinde önemli bir yer alan caminin çinileri incelendiğinde, Osmanlı Türklerinin ilk çinicilik devrinin 16. yüzyılın ilk yarısına kadar devam ettiği ve ikinci yarısından sonra renk ve desen bakımından büyük bir aşama kat ettiği görülmektedir. Bu camideki çinilerde beyaz, siyah, kırmızı renklerdeki karanfil, lale, gül, erik çiçeği ve papatyaların ahenkli birleşmesi göze çarpmaktadır.

Taş işçiliğinin bütün inceliklerini toplayan Çinili Cami'nin minberinin külahı, Kadırga'daki Sokullu Camii'nde olduğu gibi tamamen çiniyle kaplıdır. Eserin pencere kapakları üzerinde Kaside-i Bürde yazılıdır.

▲

Camideki çinilerde beyaz, siyah, kırmızı renklerdeki karanfil, lale, gül, erik çiçeği ve papatyalar göze çarpmaktadır

Taş işçiliğinin bütün inceliklerini toplayan Çinili Cami'nin minberinin külahı, Kadırga'daki Sokullu Camii'nde olduğu gibi tamamen çiniyle kaplıdır. Eserin pencere kapakları üzerinde Kaside-i Bürde yazılıdır. Bir zamanlar içi tamamen çini kaplı olan mihrabın sağındaki çini yazılardan "besmele" yazısının tamamı, mihrabın solundaki sıradan da iki parça çalınmıştır.

Sıbyan mektebi, caminin kuzeybatısındaki çeşmenin su haznesinin üzerinde fevkani olarak yapılmıştır. Kare planlı yapının üzeri kasnaksız bir kubbeyle örtülmüştür. Sıbyan mektebi kuzey ve batıdan bir avluyla çevrilmiştir. Bu avluya biri güneyden, diğeri de kuzeyden basık kemerli iki kapıyla geçilmektedir. Sıbyan mektebine batısındaki düzgün küfeki taşı korkuluklu on beş basamaklı bir merdivenle çıkılmaktadır. Batı yönündeki dikdörtgen söveli kapının, yanında bir penceresi olup, diğer cephelerde de dikdörtgen söveli ikişer pencereye yer verilmiştir. İç kısmının kuzeyinde ocak, diğer duvarlarında da birer niş bulunmaktadır. Bu nişlerin üzerinde sivri kemerli tuğladan birer pencereye de yer verilmiştir.

Vakıflar İdaresi tarafından 1964'te restore edilen yapı, bugün Kültür ve Turizm Bakanlığı'na bağlı çocuk kütüphanesi olarak hizmet vermektedir.

ÇORLULU ALİ PAŞA CAMİİ

~

Çemberlitaş'ta, Yeniçeriler Caddesi üzerinde bulunan cami, Sadrazam Çorlulu Ali Paşa tarafından 1716 yılında inşa ettirilmiştir.

Önceleri yerinde simkeşhane olan cami, sadece bir kubbe ile 100 metrekarelik kullanım alanına sahiptir. Minaresi tek şerefeli olan caminin avlu kapıları üzerinde birer kitabesi vardır. Tekke bölümü tarafında bulunan kitabe ise yok olmuştur. Medrese tarafındaki kitabenin son mısrasıyla tarih düşürülmüştür. Çorlulu Ali Paşa'nın mezar taşında da bir kitabe bulunmaktadır. Cami girişindeki tekke odalarının yanında ise Ali Paşa'nın Darü'l-Hadis'i yer almaktadır. Midilli'de idam edilen bu zatın başı buraya gömülmüştür.

Cami yakınında ayrıca Yemen fethine olan katkılarıyla ün yapan Sinan Paşa'nın türbesi ve medresesi ile bir sebil bulunmaktadır. Sebilin üzerindeki kitabede bu iki eserin Mimar Davud tarafından yapıldığı belirtilmektedir.

Çorlulu Ali Paşa Camii'nin girişindeki tekke odalarının yanında Ali Paşa'nın Darü'l Hadis'i bulunmaktadır.

DAVUD PAŞA CAMİİ

~

Kocamustafapaşa'da, Davud Paşa Mahallesi'nde bulunmaktadır. Caminin kitabesinde Gazi Davud Paşa tarafından kendi adına h. 890 senesinde (m. 1485) yaptırıldığı belirtilmiştir.

Tek kubbeli cami, yan kısımlarındaki birinin önü açık, diğeri ocaklı ikişer tabhane odasından meydana gelmektedir. Mihrap tarafında beş kenarlı ve üstü yarım kubbeyle örtülü bir niş bulunmaktadır.

Minaresinin kaidesi dört köşeli olup sağda yer almaktadır. Papucun bir metre yukarısından itibaren sonradan inşa edildiği kolaylıkla fark edilebilmektedir. Davud Paşa Camii, tamamen kesme küfeki taşından yapılmıştır.

DOLMABAHÇE
✓ (BEZMİÂLEM VALİDE SULTAN) CAMİİ
~

Dolmabahçe Sarayı ile Kabataş sahili arasında yer alan cami, Marmara'yı Karadeniz'e bağlayan Boğaziçi'nin başlangıç noktasındadır. Sultan II. Mahmud'un ikinci eşi ve I. Abdülmecid'in annesi olan banisi Bezmiâlem Valide Sultan'ın (1807-1853) ölümü üzerine Sultan Abdülmecid tarafından 1855'te tamamlanarak ibadete açılmıştır.

Dolmabahçe Camii'nin mimarı, sarayın baş mimarlığını yapan Balyan ailesinden Garabet Balyan'dır. Yapıldığı dönemin mimari estetiğini yansıtmakla kalmayıp, aynı zamanda cami mimarisinde o güne değin denenmemiş dairesel pencere düzeniyle, kendine has mimari bir fark yaratmıştır.

Dolmabahçe Camii'nin mimarı, sarayın baş mimarlığını yapan Balyan ailesinden Garabet Balyan'dır. Asıl adı BezmiâlemValide Sultan olan cami, Dolmabahçe Sarayı'nın bütünü içinde düşünülerek sarayın adıyla anılmaktadır.

Dolmabahçe Camii, dönemin mimari üslubuna nüfuz eden barok ve ampir öğelerle bezelidir. Cami, yapıldığı dönemin mimari estetiğini yansıtmakla kalmayıp, aynı zamanda cami mimarisinde o güne değin denenmemiş dairesel pencere düzeniyle, kendine has mimari bir fark yaratmıştır. Korint sütun başlığı şeklinde tek şerefeli, yivli iki minareye sahiptir. Bu minareler, hünkâr kasrının kuzey cephesinin iki ucunda yer almaktadır.

wrong

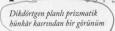
Dikdörtgen planlı prizmatik hünkâr kasrından bir görünüm

Muvakkithane deniz tarafına taşınmış.

Caminin en belirgin biçimsel özelliği, net bir kurgu ve geometriye sahip olmasıdır. Cami ve hünkâr kasrı, sanki birbirinden ayrı tasarlanıp sonradan birleştirilmiş gibidir. Cami, kare planlı altyapı üzerine kubbeli ve yüksek bir kütleden oluşmaktadır. Hünkâr kasrı ise, dikdörtgen planlı prizmatik ve daha alçak bir kütledir. Bu iki ana kısım, caminin kuzey cephesi yönünde birleşmektedir. Yapı, ampir üslubunun 19. yüzyılın ortasındaki son ve en bütüncül örneklerindendir. Caminin selatin camilerde de görülen dış avlusu ve sebili ise yol genişletme çalışmalarında yıkılmıştır. Muvakkithanesi, denize bakan cepheye taşınarak yıkımdan kurtulmuştur.

1853 yılında vefat eden Bezmiâlem Sultan, Divanyolu'ndaki II. Mahmud Türbesi'ne defnedilmiştir.

27 Eylül 1948'de Deniz Müzesi yapılan ibadethane, 1961'de askeri yönetim tarafından denetimine verildiği Yassıada İrtibat Kurulu'nun talimatıyla yeniden ibadethane olarak açılmıştır.

EMİRGÂN CAMİİ

~

Emirgân-Boyacıköy Caddesi ile Doğu Muvakkithane Caddesi'nin köşesinde yer almaktadır. Şerifler Yalısı'yla hem birbirine bitişiktir, hem de bazı bölümlerinin araları iç içedir. Vaktiyle bir külliye olarak Emirgûneoğlu Yusuf Paşa'nın görkemli sahil sarayının yerine inşa edilmiştir.

Emirgân Camii, ana kapısı üzerindeki kitabeye göre 1781'de I. Abdülhamid tarafından, erken yaşta ölen şehzadelerinden Mehmed ve onun annesi Hümaşah Hatun için yaptırılmıştır.

Tarihçi Cevded Paşa, Emirgân Camii'nin inşasını 1780'de (h. 1194) şöyle anlatır: "Mirgünoğlu sahilhanesi civarında bir camii şerif binasına irade-i seniye ile derhal inşaata başlanıp, sekiz ay zarfında tamamlanmıştır. Fırın, hamam, değirmen, dükkânlar ve yollar yapılarak az zaman zarfında mamur olmuştur." Fakat günümüzdeki cami, II. Mahmud döneminden kalmadır. Avlu kapısı üzerinde bulunan Yesarizade Mustafa imzalı kitabede, yapının II. Mahmud tarafından yeniden inşa edildiği açıkça yazmaktadır. Yapının mimari üslup ayrıntıları ve süsleme programı, I. Abdülhamid döneminin barok mimari üslubundan çok, II. Mahmud döneminin ampir üslubuna uymaktadır. Bu yapıda I. Abdülhamid dönemine ait kitabe dışında bir şey kalmamıştır.

II. Mahmud dönemine ait kesme taştan, kare planlı, ahşap çatılı caminin doğu cephesine bitişik iki katlı ahşap bir hünkâr kasrı bulunmaktadır. Cami, mevcut olan meydan çeşmesinin yanı sıra günümüze ulaşmayan hamam, fırın, değirmen gibi yapılarla bir külliye şeklindeydi. Meydan çeşmesinin yanındaki muvakkithane binası ise günümüzde büfe olarak kullanılmaktadır.

Emirgân Camii'nin eskiden kayıkla yanaşılan mermer merdivenli girişinin üzerinde, ahşap hünkâr dairesi vardır. Kareye yakın bir plan gösteren caminin duvarları ve minaresi kâgir, çatısı ahşap ve kiremit kaplıdır.

19. ve 20. yüzyılın
başlarında, tanınmış
edebiyatçıların ve
aydınların sohbet
toplantılarını
yaptıkları Çınaraltı'na
bakan cami, vaktiyle
bir külliye olarak,
Emirgüneoğlu Yusuf
Paşa'nın görkemli
sahil sarayının yerine
inşa edilmiştir.

Dışarıdan bakıldığında iki katlı olarak görülen yapının güney ve batı cephelerinde arazi eğiminden dolayı depo olarak kullanılan yarım bir bodrum kat daha vardır. Cepheler küçük farklılıklar dışında birbirlerine benzer olup, silmelerle enine bölünmüş olan yüzeyleri, plasterlerle hareketlilik kazanmıştır. Bu ayaklar arasında kalan pencerelerden alt katta olanlar dikdörtgen, üst katta olanlar ise yuvarlak kemerlidir. Kuzeye bakan giriş cephesi ise daha sade bir görünüme sahip olup, burada bulunan üst kat pencereleri de dikdörtgen biçimlidir. Mihrap eksenindeki I. Abdülhamid dönemi kitabesini taşıyan kapı, cepheden hafifçe dışarı taşmış şekildedir. Yapının bünyesinden yükselen, alçak bir kare pabuç üzerinde silindirik gövdeli ve tek şerefeli narin minare giriş cephesinin sağ köşesindedir. Akantus yaprağı, değişik formlar ve süslerle hareket kazandırılan minare, 19. yüzyıl minarelerine olan yakınlığıyla bu dönemde elden geçirildiğini düşündürmektedir.

Caminin Muvakkithane Caddesi'ne bakan doğu cephesine bitişik olarak inşa edilen ve bütün cepheye yayılan Hünkâr kasrı iki katlıdır.

✓ EYÜB SULTAN CAMİİ

~

Fatih'ten sonra
asırlarca saraydan
gelen padişahlar,
Eyüb Sultan
Camii'nde iki
rekat namaz kılar,
ardından da kılıç
kuşanırlardı.

Haliç'in kuzey ucunda, Eyüp semtindedir. Cami, Arapların İstanbul'u kuşatması sırasında şehit olan Hz. Ebu Eyyub el-Ensarî'nin gömüldüğü yerdedir. Fatih'in emriyle 1458 yılında buraya bir türbe, yanına da bir cami yapılmıştır.

Fatih Sultan Mehmed'in yaptırdığı bu ilk cami yıkılmıştır. Bugünkü caminin ilk örneği olan yapı, III. Selim zamanında 1798-1800 yılları arasında Uzun Hüseyin Efendi'ye inşa ettirilmiştir. Cami, II. Mahmud zamanında da esaslı bir tamirden geçirilmiştir. Caminin önceden daha kısa olan minareleri, 1733'te yenilenirken uzatılmıştır. 1823 yılında deniz tarafındaki minare, yıldırım düşmesi nedeniyle hasar görünce bir kez daha yaptırılmıştır.

Eser, plan bakımından sekiz payeli camiler grubuna girmektedir. Dikdörtgen plandaki, mihrabı çıkıntılı olan caminin merkez kubbesi, altı sütun ve iki filayağına dayanan kemerlere yaslanmaktadır. Yapının etrafında yarım kubbe, ortasında Eyüb Sultan'ın türbesi, sandukasının ayakucunda bir pınar ile avlu ortasında asırlık bir çınar bulunmaktadır.

Daha önceleri cümle kapısı önünde mevcut olan Sinan Paşa Kasrı 1798'de yıktırılmıştır. Günümüzde yerinde etrafı parmaklıklı bir set ve çimen sofa yer almakta, parmaklığın dört köşesinde ise dört çeşmecik bulunmaktadır. Tamir edildikten sonra camiyi açıp namaz kılan Sultan III. Selim Mevlevi olduğu için parmaklıkların üzerinde Mevlevi sikkeleri vardır.

Caminin dış avlusunun caddeye açılan iki kapısı yer almaktadır. İç avlu on iki sütuna dayanan on üç kubbeden oluşmaktadır. Avlunun ortası şadırvandır. Eyüb Sultan'ın türbesi tek kubbeli ve sekiz köşelidir. Türbenin methalinde nakşı kademi saadet, sağında sebil bulunmaktadır.

Mihrabı eyvanlı olan caminin minberi ise mermerden yapılmıştır. Mihrap tarafı hariç üç tarafı galerilidir. Son cemaat yeri önünde 6 sütunlu, 7 kubbeli bir revak vardır.

Fetihten sonra padişahlar asırlarca Eyüb Sultan Camii'nde kılıç kuşanmışlardır. Bunu uygulamayı Fatih başlatmış, Fatih'e ilk kılıcı hocası Akşemseddin kuşatmıştır. Padişahlar, saraydan gelip camide iki rekât namaz kılar, ardından da şeyhülislam onlara kılıç kuşatırdı.

Eyüb Sultan Türbesi, yüzyıllar boyu İslâm aleminin ziyaret yeri olmuştur. Caminin çevre duvarı içinde olan ve 1458'de inşa edilip çinilerle süslenen bu türbe, I. Ahmed ve II. Mahmud dönemlerinde tamir görmüştür. Türbedeki gümüş şebeke ve şamdanlar son devirlere aittir. Sandukanın ayakucundaki kuyunun ise kabrin keşfi sırasında bulunan pınar olduğu ileri sürülmektedir.

Bu kadar çok kabir, türbe, lahit başka bir camide iç içe geçmemiştir. Serviler ve mezarlıklar cami çevresini uhrevi bir mekân haline sokmuştur. Sokullu Mehmed Paşa, Mehmed Paşa, Siyavuş Paşa, Beşir Fuad, Ahmet Haşim, Necip Fazıl, Fevzi Çakmak, Ferhad Paşa ve Ziya Osman Saba'nın kabirleri burada yer almaktadır.

28

FATİH CAMİİ

~

Fatih ilçesindeki bu cami, Fatih Sultan Mehmed tarafından yaptırılmıştır. Külliyede medrese, darüşşifa (hastane), tabhane (konukevi), imarethane (aşevi), kütüphane ve hamam bulunmaktadır. Cami 1766'daki depremde yıkılmış, sonra onarılarak 1771'de bugünkü halini almıştır. 1999 Marmara depreminde zemininde kaymalar tespit edildiğinden, Vakıflar Genel Müdürlüğü tarafından 2008 yılında zemin güçlendirme ve restorasyon çalışmalarına başlanmıştır. Kısmen ibadete açık durumda olan camideki restorasyon çalışmalarının yakın zamanda bitmesi beklenmektedir.

Bizans devrinde, buradaki tepede İmparator I. Konstantinus tarafından inşa ettirilen Havariyun Kilisesi bulunmaktaydı. I. Konstantinus'un mezarı da bu tepeye gömülmüştü. İstanbul'un fethinin ardından bina, patrikhane kilisesi olarak kullanılmaktaydı. Fatih Sultan Mehmed'in buraya cami ve külliye inşa ettirmesi üzerine patrikhane Pammakaristos Manastırı'na taşınmıştır.

Yapımına 1462 yılında başlanan ve 1470 yılında tamamlanan Fatih Camii'nin mimarı, kısaca Atik Sinan olarak da bilinen Sinaüddin Yusuf bin Abdullah'tır. Cami, 1509'daki büyük depremde büyük hasar görmüş ve II. Bayezid döneminde onarılmıştır. Yapı 1766 yılında yaşanan bir depremden sonra harabe haline gelince Sultan III. Mustafa, 1767 ve 1771 yılları arasında camiyi Mimar Mehmed Tahir Ağa'ya tamir ettirmiştir. Cami, tamir sonrası özgün görünümünü kaybetmiştir. 29 Ocak 1932'de ilk Türkçe ezan bu camide okunmuştur.

İlk inşa edilen camiden günümüze sadece şadırvan avlusunun üç duvarı, şadırvan, taç kapı, mihrap ve çevre duvarının bir kısmı kalmıştır. Şadırvan avlusunda kıble duvarına paralel olan revak, diğer üç yönden daha yüksektir. Kubbelerin dış kasnakları sekiz köşeli olup kemerlere oturmaktadır. Caminin kemerleri genellikle kırmızı taş ve beyaz mermerlerle işlenmiş, yalnız minberdekilerde yeşil taş kullanılmıştır. Yapının alt ve üst pencerelerinin etrafı geniş silmelerle çevrelenmiş, mermer söveler gayet geniş ve kuvvetli silmelerle belirtilmiştir.

Kalın demir parmaklıklar, topuzludur. Revak sütunlarının ikisi pembe, sekizi yeşil Eğriboz, ikisi esmer granitten, son cemaat yerindekilerin bazıları da Mısır granitindendir. Başlıklar tamamen mermerden ve hepsi istalaktitlidir. Avlunun, biri kıble tarafında ve ikisi yanda olmak üzere toplam üç kapısı bulunmaktadır. Caminin şadırvanı sekiz köşelidir.

Fatih Camii, Fatih Sultan Mehmed tarafından yaptırılmıştır. 29 Ocak 1932'de ilk Türkçe ezan bu camide okunmuştur.

▲

Fatih Camii'nin günümüzden bir görünümü

Mihrabın yaşmağı istalaktitlidir. Hücre köşeleri yeşil direkli kum saatleriyle süslüdür ve üstü zarif bir taçla sonlanmaktadır. On iki dilimli olan minare, camiyle büyük bir ahenk sağlamıştır. Çinili levhalar, son cemaat duvarının sağ ve solundaki pencere aynalarında bulunmaktadır.

Fatih Camii'nin ilk yapımında, cami alanını genişletmek için duvarlar ve iki ayak üzerine bir kubbe oturtulmuş ve bunun da önüne bir yarım kubbe eklenmiştir. 26 metre çapındaki kubbe bir yüzyıl boyunca en büyük kubbe olma niteliğini korumuştur. Caminin ikinci yapılışında payandalı camiler planı uygulanarak, küçük kubbeli sivri bir bina meydana getirilmiştir. Günümüzde merkezi kubbe dört filayağına oturmakta ve bunu dört yarım kubbe çevrelemektedir. Yarım kubbelerin etrafındaki ikinci derecede yarım ve tam kubbeler, mahfildeki ve dıştaki aptes musluklarının önündeki galerileri örtmektedir. Mihrabın sol tarafından, türbe yanından geniş bir rampayla girilen hünkâr mahfili ve odalar bulunmaktadır.

Cami minarelerinin külah kısımları 19. yüzyıl sonunda yapılmıştır. Mimar Mehmed Tahir Ağa camiyi tamir ederken, eski camiden kalan parçalarla yeniden yaptığı parçaları gayet iyi bir şekilde birleştirmiştir. Caminin alçı pencereleri zamanla harap olduğundan, adi çerçevelerle değiştirilmiştir. Avlu kapısının yanındaki yangın havuzu, Sultan II. Mahmud tarafından 1825'te yaptırılmıştır. Caminin geniş dış avlusunun tabhaneye çıkan kapısı ise eski camiden kalmıştır.

Başta Fatih Sultan Mehmed'in türbesi olmak üzere, Osmanlı tarihinin birçok önemli isminin mezarı burada bulunmaktadır. Fatih'in eşi ve II. Bayezid'in annesi Gülbahar Valide Sultan'ın, Gazi Osman Paşa'nın, ve mesnevi şairi Abidin Paşa'nın türbeleri buradaki hazirededir. Sadrazamlar, şeyhülislamlar, müşirler ve pek çok ilim adamının mezarlarının burada olması, Osmanlı protokolünün buraya verdiği önemi de göz önüne sermektedir.

FETHİYE CAMİİ

~

Fatih'te Fethiye Mahallesi'nde bulunan ve Bizans devrinden günümüze kalan Fethiye Camii, o dönem Pammakaristos Manastır Kilisesi olarak kullanılmıştır.

Bu yapı, 13. yüzyıl sonlarında Latin istilası bitince Bizans'ın ileri gelenlerinden Mihail Glabas Tarkaniotes tarafından eski kilise kalıntıları üzerine yeniden yaptırılmıştır.

İstanbul'un fethinden sonra bir süre patrikhane olarak da kullanılan yapı, 1595'te III. Murad (1574-1595) zamanında Gürcistan ve Azerbaycan'ın fethedilmesinin ardından bu fetihlerin anısına camiye dönüştürülmüş ve Fethiye Camii adını almıştır. Camiye dönüştürülürken kilisenin apsis kısmı yıkılarak yerine kıble yönüne uygun bir mihrap yapılmış, ayrıca bir minare ile bir de medrese inşa edilmiştir.

Eser, Cumhuriyet döneminde müzeye dönüştürülmüş, 1955 yılında Amerikan Bizans Enstitüsü tarafından yapının içini süsleyen mozaik ve freskler açığa çıkarılmış, sonradan yapılan kemer sökülüp yerine özgün haline uygun sütunlar yapılmıştır.

1960'lı yıllarda yeniden cami olarak ibadete açılan yapının duvarları taş ve tuğla karışımdan meydana gelmektedir. Yapının dış duvarlarında ve içerideki mozaiklerde ise Grekçe yazılar göze çarpmaktadır. Kuzey kilise halen cami olarak kullanılmaktadır. Duvarları 14. yüzyıl mozaikleriyle süslü olan ek kilise ise, 1938-1940 yıllarında onarıldıktan sonra müze olarak Ayasofya Müzesi Müdürlüğü'ne bağlı bir birim haline getirilmiştir.

> İstanbul'un fethinden sonra bir süre patrikhane olarak da kullanılan yapı, 1595'te camiye çevrilerek Fethiye Camii adını almıştır.

FİRUZ AĞA CAMİİ

Sultanahmet Divanyolu Caddesi üzerinde bulunan cami, 1491 yılında II. Bayezid'in hazinebaşısı Firuz Ağa tarafından inşa ettirilmiştir.

Bursa üslubunda yapılan caminin kubbesi, sekiz köşeli kasnağa oturmaktadır. Dört sütunlu ve üç kemerli-kubbeli son cemaat yeri revağı merdivenlidir. Caminin kitabesi, Şeyh Hamdullah Efendi tarafından yazılmıştır. Eserin avlusunun, Divanyolu'nun genişletilmesinden önce daha büyük olduğu bilinmektedir.

Firuz Ağa Camii'nin özellikleri arasında, uzun yıllardır ikindi ezanlarının Sultan Ahmed Camii'yle karşılıklı olarak okunması yer almaktadır. Ezana önce Sultan Ahmed Camii müezzini başlamakta, ardından Firuz Ağa'nın müezzini buna cevap verircesine ezanın aynı bölümünü tekrarlamakta, her iki cami arasında karşılıklı olarak başından sonuna kadar ezan yankılı olarak okunmaktadır. Alman Çeşmesi ile Atmeydanı, bu iki ibadethanenin tam ortasında kaldığından, etkileyici bir ahenk oluşturan ezan sesleri en iyi bu bölgede dinlenmektedir. Ayasofya'nın müze olmasından önce, bu karşılıklı okuma faslı Sultan Ahmed ile Ayasofya arasında yapılırmış.

Firuz Ağa Camii'nin özellikleri arasında, uzun yıllardır ikindi ezanlarının Sultan Ahmed Camii'yle karşılıklı olarak okunması yer almaktadır.

HACI BEŞİR AĞA CAMİİ

~

Eminönü'nde, Hükümet Konağı Sokağı ve Hacı Beşir Tekkesi Sokağı'nın sınırladığı alandadır. Cami ve beraberindeki yapılar, III. Ahmed ve I. Mahmud zamanında darüssaade ağası olan Hacı Beşir Ağa tarafından 1745'te inşa ettirilmiştir.

Hacı Beşir Ağa Külliyesi cami, sıbyan mektebi, medrese, kütüphane, tekke, sebil ve iki çeşmeden oluşmaktadır.

Hacı Beşir Ağa Külliyesi cami, sıbyan mektebi, medrese, kütüphane, tekke, sebil ve iki çeşmeden oluşmaktadır. 19. yüzyılın ilk yarısında onarılan bu külliye, günümüzde de sağlam ve iyi bir durumdadır.

Kesme taş ve tuğladan yapılan medrese, caminin minare kaidesinin bitişiğindedir. Medresenin girişi, kilit taşında küçük bir rozet bulunan basit bir kemerli kapıya sahiptir. Girişi çevreleyen dikdörtgen çerçevesinde, Şair Rahmi'nin yazdığı 1744 tarihli manzum kitabe bulunmaktadır.

Dikdörtgen planlı medresenin avlusu, batıda Hacı Beşir Tekkesi Sokağı boyunca uzanan dayanak duvarlarıyla, diğer üç yönde de sivri kemerli revaklarla çevrilidir. Kesme küfeki taşından yapılan medresenin on beşi kare planlı ve kubbeli, istinat duvarına bitişik iki tanesi ise tekne tonozlu ve dikdörtgen planlı olmak üzere toplam on yedi hücresi bulunmaktadır. Hücrelerin önünde bulunan revak kemerleri, mermer sütunlar üzerine oturtulmuştur. Medrese hücreleri birer kapı ve dikdörtgen söveli demir pencereyle avluya açılmaktadır. Doğu kanadındaki hücrelerin cami avlusuna açılan ayrı birer penceresi daha vardır. Bu medresenin dershane bölümü bulunmamaktadır.

HADIM İBRAHİM PAŞA CAMİİ

~

Silivrikapı'da, Cambaziye Mahallesi'ndedir. Eser, Hadım İbrahim Paşa tarafından 1551'de Mimar Sinan'a yaptırılmıştır.

Külliye olarak yaptırılan yapı topluluğundan günümüze sadece cami ulaşabilmiştir. Dış duvarları Silivrikapı Caddesi boyunca uzanan caminin avlusuna üç kapıdan girilmektedir. Caminin minaresi yapıya bitişik olup, kesme taş tuğladan inşa edilmiştir. Eserin son cemaat yeri beş kubbeli ve altı sütunludur. Mihrabı mavi beyaz çinilerle süslü olan caminin, minber ve müezzin mahfili ise mermerden yapılmıştır.

Kare planlı yapının çeşmesi duvara bitişiktir. Kubbenin trompları payanda duvarlarına dayanmaktadır. Kasnağı petek pencereli olan ve 2007 yılında tamir ve bakımı gerçekleştirilen caminin banisi açık türbede yatmaktadır.

Hadım İbrahim Paşa Camii, 1551'de Mimar Sinan'a yaptırılmıştır. Külliye olarak yaptırılan yapı topluluğundan günümüze sadece cami ulaşabilmiştir.

HAMDULLAH PAŞA (ÇINARLI) CAMİİ

~

Çengelköy'deki iskelenin Beylerbeyi tarafında, şehrin en görkemli çınar ağaçlarından birinin yanı başındadır. Bu nedenle yapı, halk arasında Çınarlı Cami olarak da bilinmektedir.

*Hadîkat-ül Cevâmi'*de, "Çengel Karyesi Mescidi" başlığı altında "Mezkûr Çengel Karyesi İskelesinde Kaptanıderya Abdullah Paşa 1932 senesinde (1818-1819) cemi-i levazımatı mükemmel bir camii şerif binasına muvaffak olmuştur. Müşarunileyh kariye mezbure ahalisinden bir kimsenin oğlu olup, 1938 saferinde (1822) Sadr-ı azam olmuş aynı yıl içinde azledilip İzmit'te vefat etmiştir. İsmi Hamdullah olup, Abdullah denmekle şöhret bulmuştur" denilmektedir.

Çok sade bir cami olup, son cemaat yeri ve kadınlar mahfili yoktur. Bu nedenle, adeta genişçe bir odaya benzeyen camii, müstakil planlı olup, dört duvar üzerine çekilmiş kiremit örtülü ahşap bir çatıdan ibarettir.

Çınarın altı küçük bir meydan olup, ibadethanenin bu yöne açılan kapısından ibadet kısmına girilmektedir. En gerideki ahşap bir set üstü ise müezzin maksuresi hizmeti görmektedir. Caminin meydana bakan cephesinin bir köşesinde klasik üslupta kitabesiz bir akar çeşme ile cami kapısı arasında beş adet aptes musluğu bulunmaktadır. Kapıdan girilince hemen soldan iki küçük ahşap merdivenle minareye çıkılmaktadır. Bu merdivenlerin ikinci kısmı, şakuli denilecek kadar diktir.

Bu küçük cami, ilk olarak 1835 tarihinde restore edilmiş, 1963 yılında halkın yardımıyla tamir edilirken de yeni bir kapı yapılmıştır. 1970'te camiye tayin edilen imam tarafından, işgal edilmiş yerler yedi senelik bir çaba neticesinde temizlenmiş, hayırsever cemaatin de desteğiyle cami 73 metrekareden 170 metrekareye çıkarılmıştır. Eserin minaresi saç, şerefesi ise çinkoyla kaplanmıştır.

Çınarlı Camii, köy içinden görülmeyen küçük yapısı ve bodur minaresiyle, ömrü belki de bin yılı aşan ve hâlâ yeşeren tarihi çınar ve bir sıra dükkânın ardında kalmıştır. Meydancığa, dolayısıyla camiye Çınarlı Camii ve Pazarkayığı adlı iki ara sokaktan girilmektedir.

Çınarlı Camii, köy içinden görülmeyen küçük yapısı ve bodur minaresiyle, ömrü belki de bin yılı aşan ve hâlâ yeşeren tarihi çınar ve bir sıra dükkânın ardında kalmıştır.

▲

Caminin mihrabı

34

HAMİDİYE YILDIZ CAMİİ

~

Beşiktaş'ta, Yıldız Sarayı'nın Barbaros Bulvarı'ndaki giriş kapısının alt tarafındadır. Yıldız Camii olarak da bilinen Hamidiye Camii, Sultan II. Abdülhamid tarafından 1884-1886 yılları arasında saray baş mimarı Sarkis Balyan'a yaptırılmıştır.

Sultan II. Abdülhamid, cuma namazlarını bu camide kılardı. Cuma selamlığı sırasında Hamidiye Camii üç sıra askerle çevrilir, Yıldız'dan Beşiktaş'a inen yokuşun sağındaki meydanlığın önü, bir saf piyadeden sonra atlı birliklerden oluşan Ertuğrul ve Mızraklı alayları tarafından doldurulur, arabalı ve yaya seyirciler de bu süvari safları arkasında yerlerini alırlardı.

II. Abdülhamid'in Yıldız Sarayı'na yerleşmesinden sonra inşa edilen caminin hünkâr köşkü ve harimi, dikdörtgen plan üzerinde görsel bir bütünlük arz etmektedir. Küçük ve yüksek kubbesi, on altı pencereli çokgen bir kasnak üzerine oturtulmuştur. Neogotik pencereler ve mukarnas dizisi, cami kasnağına ayrı bir hava katmıştır. Kubbe bezemelerinde pek rastlanmayan mavi üzerine yıldız işlemeler ve hünkâr kasrın-

Hamidiye Camii, Sultan II. Abdülhamid tarafından 1884-1886 yılları arasında saray baş mimarı Sarkis Balyan'a yaptırılmıştır. II. Abdülhamid cuma namazlarını bu camide kılardı.

daki altın varak, caminin zengin işlemelerine güzel bir örnektir. Ayrıca yapının minaresi mukarnas şerefeli ve minare gövdesi tepeye kadar yivlidir.

Avlusuna girildiğinde, caminin iki yanında sağlı sollu beyaz mermer merdivenler ve onların arasında yüksek bir taç kapı bulunmaktadır. Bu büyük kapının üzerinde zafer tacına benzeyen ince bir süsleme yer almaktadır. Süslemenin hemen altındaki mermer zeminde ise "Besmele-i Şerife" ve nefis bir hatla yazılmış bir "Ayet-i Kerime" görülmektedir. Sağ ve solda merdivenle çıkılan odaları vardır. Sağda elçiler için tavanı 18 ayar altından yapılmış süslü süfera odası, soldaysa tavanı yağlıboya tablolu ve çok süslü olan hünkâr mahfili bulunmaktadır.

Ortaköy'de bulunan Büyük Mecidiye Camii tipinde olan Yıldız Camii, karışık mimari tarzın güzel bir örneğidir. Caminin cümle kapısının yanındaki pencereler de süslü ve demir kafeslidir. Yıldız Teknik Üniversitesi tarafından, avluya girilen demir kapının hemen yanı başında sağda yer alan dört cepheli saat kulesinin saati, Sultan II. Abdülhamid'in 25. saltanat yılı kutlamaları için özel olarak sipariş edilmiştir.

Yıldız Sarayı ve II. Abdülhamid'in Cuma Selamlığı'ndan bir görüntü

▼

HANDAN AĞA (KUŞKONMAZ) CAMİİ

~

Handan Ağa Camii, kareye yakın dikdörtgen planlıdır. Eser, İstanbul'a özgü yalı mimarisinin dini mimariyle kaynaşmasına bir örnektir.

▲

Caminin içinden bir görünüm

Kuşkonmaz Camii olarak da bilinen yapı Beyoğlu'nda, Hasköy semtinde Hasköy Caddesi ile İskele Sokağı'nın kesiştiği köşededir. Caminin banisi Fatih Sultan Mehmed'in (1453-1481) hizmetinde bulunan Handan Ağa'dır.

Yapı, III. Ahmed dönemi (1703-1730) tersane emini Kıblelizade Mehmed Bey tarafından şehzadelerin sünnet düğününde onarılmıştır. III. Selim zamanında da (1789-1807) onarım gören yapıya bir hünkâr kasrı eklenmiştir. 1960'lı yılların sonlarında ise cami, Vakıflar tarafından son bir onarım geçirmiştir.

Fevkani olan cami, kareye yakın dikdörtgen planlıdır. Yapının üzeri kiremit döşeli kırma çatıyla örtülüdür. Kayıkhane olarak kullanılan bodrum kat, sahilin doldurulmasıyla işlevini yitirmiş ve ibadet alanına çevrilmiştir. Beş adet basık kemerle denize açılan bodrumun kayıkhane olarak değerlendirilmesi, İstanbul'a özgü yalı mimarisinin, dini mimariyle kaynaşmasına bir örnektir.

III. Selim'in yaptırdığı iki katlı hünkâr kasrı, caminin kuzeydoğu köşesinde yapıya bitişik olarak yer almaktadır. Hünkâr kasrı ile son cemaat yeri arasında kalan ve kare bir kaide üzerine oturan minareden, prizmatik üçgenlerle silindirik gövdeye geçiş sağlanmaktadır. Gövde başlangıcında taş bir silmenin dolandığı minarenin, şerefe ve külahı ampir özellikler taşımaktadır.

Özellikle III. Selim döneminde gözlenen kıvrım tipleri ve yoğun bezeme unsurlarının görüldüğü minber, Rokoko bezeme anlayışının güzel bir örneğidir.

Mihrap duvarını bütünüyle kaplayan çiniler, mihrap nişine ve pencere iç yüzeylerine kadar uzanmaktadır. Toplama özellikli olan ve sıraltı tekniğiyle imal edilen çinilerin büyük çoğunluğu, 16. yüzyıl sonları ile 17. yüzyıl başlarına ait İznik çinileridir.

Mermerden inşa edilen şadırvan dikdörtgen biçime sahiptir. Üzeri mermer bir kapakla örtülü olan şadırvanın dört yanında musluklara yer verilmiştir. Gayet sade olan şadırvanın bulunduğu mahal ise basit bir çardakla kapatılmıştır.

✓ HASEKİ SULTAN CAMİİ

~

Cami, Fatih ilçesinde Haseki ile Cerrahpaşa arasında bulunan Avratpazarı'ndadır. Kanuni Sultan Süleyman'ın eşi Hürrem Sultan tarafından, Kanuni'nin diğer bir eşi olan Haseki Sultan için 1538'de inşa ettirilmiş bir Mimar Sinan eseridir.

Haseki Külliyesi cami, medrese, darüşşifa, imaret, medrese, mektep, sebil ve aşevinden meydana gelmektedir. Tek kubbeli olarak inşa edilen caminin giriş duvarı, Sultan I. Ahmed zamanında (1612) kaldırılmıştır. Bunun yerine iki sütunla bir kubbe daha yapılarak bina genişletilmiş ve son cemaat yeri eklenmiştir. 1734 yılında iki kubbe arasına yeni bir mihrap inşa edilmiştir. Tek minareli olan cami oldukça heybetli olup, son cemaat yeri özgün kubbe tarafındadır.

Medresenin pencereleri üstünde kalan nadide güzellikteki iki çini pano, Topkapı Sarayı'ndaki Türk Çinileri Dairesi'nde sergilenmektedir.

Haseki Sultan Külliyesi cami, medrese, darüşşifa, imaret, medrese, mektep, sebil ve aşevinden meydana gelmektedir.

HEKİMOĞLU ALİ PAŞA CAMİİ

~

Cami, tekke, şadırvan, kütüphane, türbe, sebil ve muvakkithane ile dört çeşmeden oluşan külliye, Sultan I. Mahmud'un sadrazamı Hekimoğlu Ali Paşa tarafından 1734-1735 yıllarında Çuhadar Ömer Ağa ve Hacı Mustafa Ağa'ya yaptırılmıştır.

İstanbul'un yedinci tepesi üzerinde bulunan külliye, Klasik Türk mimarisinin de son eseri olarak kabul edilmektedir. Zaman içerisinde birçok onarım gören külliyeden günümüze hünkâr kasrı ile çeşme ve güneydeki kapı kısmı hariç dış avlu duvarları ulaşmıştır.

Caminin altı filayağına yaslanan ana kubbesi sivri kemerlidir. Yapının beşer sıralı pencerelerinin sayısı yüzden fazladır. Caminin ince ve tek şerefeli minaresi sağda, son cemaat yerine bitişik durumdadır.

Caminin kuzey giriş kapısından harime girildiğinde harim, mihrap dışında üç yönden mahfille çevrilidir ve galeri maksurelere sağ ve soldan döner merdivenlerle çıkılmaktadır. Mahfil, mermer korkulukludur.

Üç avlu kapısı ile üç cami kapısı olan yapının baldakenli merkezi mekân geleneğine uygun olarak kesme küfeki taşından yapılmıştır. Çinilerin büyük kısmı, Osmanlı devrinde Tekfur Sarayı içinde faaliyet gösteren atölyede yapılmıştır. Diğer bir kısmı ise Kütahya'dan getirtilmiştir. Üç adet halvet odası bulunan caminin minberi şaheser olarak kabul edilmektedir. Cami, Abdal Yakub Tekkesi'nin tevhithanesi olarak da kullanılmaktaydı.

Caminin taş kemerli giriş kapısındaki sülüs kitabede, Cihangirli Mustafa Efendi'nin hattıyla İshak Efendi'nin şiiri yazılıdır. Bu cümle kapısı üzerinde yer alan fevkani yapı, kütüphanedir. Buradaki eserler Süleymaniye Kütüphanesi'ne nakledilmiştir. Avlusu taş döşemeli olan caminin doğu kapısı kırma çatılı bir sundurmayla kaplıdır. Şadırvan, mermer hazneli sekiz sütunla taşınan ahşap çatılıdır ve üzeri kiremit döşelidir. Şadırvanın yanında ise türbe bulunmaktadır.

Avlu tarafındaki cephesi ahşap sundurmalı olan türbenin kapı alınlığında talik yazılı kitabesi yer almaktadır. Caminin avlusunda bulunan türbe iki kısımdan oluşmaktadır: Sol tarafında Abdal Yakub ve Şeyh İbrahim ile tekkenin diğer ileri gelenleri, sağ kısımda ise Hekimoğlu Ali Paşa, eşi Muhsine Hatun ve aile fertleri yatmaktadır. Hekimoğlu Ali Paşa'nın oğlu Ziyaeddin Bey'in mezarı ise türbenin hemen dışındaki saçak altındadır. Avluda ayrıca su terazisi ile bir de kuyu bulunmaktadır.

Sebil cümle kapısı, şadırvan ve türbenin hizasında olup iki caddenin kesiştiği yerde, kubbeli bir yapıda yer almaktadır. Beş cepheli, kubbeli ve beş pencereli olan sebilin madeni şebekelerini bir kitabe çevrelemektedir.

Caminin mihrabı sarkıtlı yaşmaklı, iki sütunçeli, iki kabartma dolgulu ve bezemelidir. Mihrabın üstünde iki yanda Kadiri Eşrefi tacı, ortasında ise bir gül bulunmaktadır. Mihrap alanı harimden 30 santimetre yüksektedir. Mihrabın sol duvarındaki ahşap hünkâr mahfili asılı gibi durmaktadır. Sol duvarda ise Kâbe'yi tasvir eden bir resim, sağ duvarda yine Kâbe'yi tasvir eden çini yer almaktadır. Mihrabı sağdan sola kuşatan Kütahya çinisi üzerinde celi sülüs hatla Ayet-el Kürsi yazılıdır. Mermer minber, mukarnaslı tepelikte ajurlu taçla sonlanmaktadır. Ahşap kürsüsü soldaki sütuna bitişik olan caminin duvarları mahfile kadar hatlı mavi çiniyle kaplıdır.

HIRKA-İ ŞERİF CAMİİ

~

Fatih İlçesi'nde, adını verdiği semtte, Muhtesip İskender Mahallesi'nde yer almaktadır. 1851 yılında Sultan Abdülmecid tarafından Hz. Muhammed'in Veysel Karani'ye verdiği Hırka-i Şerif'in muhafazası ve ziyareti için yaptırılmış, adını da buradan almıştır.

Hırka-i Şerif Camii, Sultan Abdülmecid tarafından Hz. Muhammed'in Veysel Karani'ye verdiği Hırka-i Şerif'in muhafazası ve ziyareti için yaptırılmıştır. Yapı, İstanbul'un dini folklorunda çok önemli bir yere sahiptir.

Cami, İstanbul'un dini folklorunda çok önemli bir yere sahiptir. Saklanan hırka 17. yüzyıl başlarında El-Karani soyundan gelen Şükrullah Üveysi'den Sultan I. Ahmed'in fermanıyla alınmış, çeşitli yerlerde muhafaza edildikten sonra bu amaçla inşa edilen cami içindeki yerine konulmuştur. Hırka-i Şerif sadece Ramazan ayının on beşinden Kadir gecesine kadar öğlen ve ikindi namazları arasında ziyarete açılmaktadır. Cami yapılırken civardaki birçok yapı kamulaştırılmış, caminin yanı sıra Üveysi ailesinin en yaşlı ferdi için bir meşruta, vekil dairesi, muhafızlar için kışla (halen Hırka-i Şerif İlkokulu olarak kullanılan bina), vazifeliler için odalar yapılarak bir külliye oluşturulmuştur.

Avlusuna abidevi görünümlü üç kapıdan girilen cami kesme küfeki taştan yapılmıştır. Tek şerefeli iki minaresi bulunan camiyi sekiz köşeli ve sekiz pencereli bir kubbe örtmektedir. Bahçenin sağındaki kapı üzerinde Sultan Abdülmecid'in tuğrası altında Hattat Kazasker Mustafa İzzeddin'in hattıyla bir kitabe yer almaktadır. Kubbe altında yine aynı hattatın sekiz adet ayet levhası sıralanmıştır. Sultan Abdülmecid'in yazarak imzasını attığı sekiz levhası minberin üstünde yer almaktadır. Caminin vaiz kürsüsü, mihrabı ve minberi kırmızı somakiden yapılmıştır.

İSKENDER PAŞA CAMİİ

~

Fatih'te, Sarıgüzel Caddesi'ndedir. Eser, II. Bayezid'in vezirlerinden İskender Paşa tarafından 1505 yılında inşa ettirilmiştir. 505 sene önce inşa edilen cami, bugüne kadar birçok tamir görmüş, en son 1999 depreminde kubbe ve minaresinde hasar oluşmasından dolayı yeniden tamir edilip depreme karşı güçlendirilmiştir.

Kare planlı, tek kubbe ve tek minareli olan İskender Paşa Camii, kesme taştan inşa edilmiştir. Kıble pencerelerinde renkli cam kullanılan caminin kürsüsü ise mermerden yapılmıştır. Eserin kubbesinde Nur suresinin 35. ayeti yazılıdır. Son cemaat yeri, şadırvanı, tuvaleti, derslikleri ve aşevi bulunan camide her sabah namazı öncesi mukabele yapılır. 360 metrekarelik geniş avlu yeni yapılmıştır.

İskender Paşa Camii'nin asıl önemi, 1958'de burada imamlığa başlayan M. Zahid Kotku'nun geniş bir Halidiye cemaati oluşturmasıyla başlamıştır.

KALENDERHANE CAMİİ

~

Fatih Sultan
Mehmed'in
önceden kilise
olarak kullanılan bu
yapıyı zaviye olarak
ordudaki Kalenderi
dervişlere tahsis
etmesi nedeniyle
Kalenderhane adıyla
anılmaktadır.

Fatih'te Vezneciler semtinde bulunan ibadethane, İstanbul'un fethinden sonra kiliseden camiye çevrilmiştir. Yapının kilise olarak 9 ila 12. yüzyıllar arasında inşa edildiği sanılmaktadır.

Fatih Sultan Mehmed'in bu kiliseyi zaviye olarak ordudaki Kalenderî dervişlere tahsis etmesi nedeniyle yapı Kalenderhane adıyla anılmaktadır. 18. yüzyılda ise Babüssaade ağası Maktul Beşir Ağa tarafından camiye çevrilmiştir.

19. yüzyılın sonlarında imparatorluğun çöküşüne doğru harap bir hale gelen caminin minaresi, 1930'da yıldırım çarpması sonucu yıkılmış, tamir sonrası ise 1972'de tekrar ibadete açılmıştır.

Kalenderhane Camii'nin ana mekânına, tonozlarla örtülü narteksten girilmektedir. Ana mekânın ortası pandantifli kubbeyle örtülüdür ve bu ana kubbe, beşik tonozlarla desteklenerek tavan örtüsü ortaya çıkarılmıştır. Caminin duvarları taş ve tuğla karışımıdır. İç duvarları renkli mermer kaplama ve kabartmayla süslenen yapı ibadete açık olup, aynı zamanda yerli ve yabancı konukların da uğrak yeridir.

Bizans ve Osmanlı devrinde İstanbul'u Avrupa'ya bağlayan yolun kilit noktasında bulunan yapının tarihi geçmişini aydınlatmak için 1966-1975 yılları arasında bir arkeolojik kazı çalışması da yürütülmüştür.

KANDİLLİ CAMİİ

~

Boğaziçi'nin Anadolu yakasında yer alan Kandilli'de, Kandilli iskelesinden çıkınca sağ taraftadır. Caminin ilk yapım tarihi h.1042 (1632)'dir. Mevcut yapı ise I. Mahmut'un emri ile 1751 (h.1165)'de ihya edilmiştir. Söz konusu ibadethane, geçirdiği bir yangın sonrası harap olmuş, büyük bir onarımdan sonra da bugünkü şeklini almıştır.

Kandilli Camii, kareye yakın dikdörtgen bir plana sahip ve fevkani (iki katlı) bir yapıdır. Sade bir görünüme sahip olan caminin tavanı ahşap örtülüdür. Harim kısmının girişinde sağ tarafta kadınlar mahfiline çıkan merdivenler vardır.

Caminin avlusuna, mihrap cephesindeki sokağa açılan bir geçit ve ayrıca cümle kapısına ulaşan basamaklar ile de girilir. Burada küçük bir şadırvan vardır. Camiinin taş minaresi de bu küçük avlunun bir bölümünü kaplar. Camii'nin harim kısmı sivri kemerli pencerelerle gün ışığından faydalanmaktadır. Alçı malzeme ile yapılmış olan çini mihrabı, bu ibadethane inşa edilirken, daha eski bir camiden buraya taşınmıştır. Klasik döneme ait olduğu izlenimi veren kalem işleri ise sonraki yıllarda yapılan restorasyonların sonucudur.

> Kandilli Camii, kareye yakın dikdörtgen bir plana sahip ve fevkani (iki katlı) bir yapıdır. Sade bir görünüme sahip olan caminin tavanı ahşap örtülüdür.

KARAMEHMED KETHÜDA
(BÜYÜKDERE) CAMİ
~

Fatih Sultan Mehmed'in önceden kilise olarak kullanılan bu yapıyı zaviye olarak ordudaki Kalenderi dervişlere tahsis etmesi nedeniyle Kalenderhane adıyla anılmaktadır.

Boğaziçi'nin Avrupa yakasında Çayırbaşı Caddesi üzerinde yer alan cami, Büyükdere ve Kara Kethüda Camii olarak da bilinir.

Cami, Sultan III. Mustafa döneminde (1757-1774) Sadaret Kethüdası olan Mehmed Ağa tarafından yaptırılmıştır. Fevkani (iki katlı) olarak inşa edilen caminin duvarları kâgir, çatısı ahşaptır. Onarımlar nedeniyle pek çok değişikliğe uğrayan caminin harim kısmı, üç adet beton sütunla kuzey yönünde genişletilmiştir. Doğu duvarına bu eklenti esnasında kadınlar mahfili yapılmıştır. Mahfile son cemaat yerinden bir merdivenle çıkılmaktadır.

Harim kısmı, önde enine dikdörtgen bir alan ve buna üç sütunla bağlanan bir diğer dikdörtgen alandan meydana gelmiştir. Ana mekânın doğu ve batısında, üstte revzenli üç, altta ise ikişer sıra olmak üzere pencereler açılmıştır. Mihrap duvarında da iki sıralı toplam dört pencere vardır. Mihrap Kütahya çinileriyle kaplıdır. Ahşaptan yapılmış olan minber ise sadedir. Kuzeybatıda yer alan minarenin kaidesi yapının bütünü içindedir. Ana mekândan girilebilen minarenin silindir gövdesi, inşasında kullanılan tuğlaların zikzaklı dizilişi ile süslenmişse de sonradan üstü sıva ile kapatılmıştır. Caminin banisi Mehmed Ağa'nın gömülü olduğu sanılan küçük bir haziresi de vardır. Camide, Latin harfleri kabul edildikten sonra, halka okuma yazma öğretmek için bir süre Millet Okulu olarak eğitim verilmiştir.

✓ KARİYE CAMİİ

~

5. yüzyılda inşa edilen Roma şehir surlarından daha öncesine ait olan bir kiliseye verilen bu isim, aynı yerde yapılan sonraki kilise yapılarının da tümünün birden adı olmuştur. Günümüze ulaşan küçük yapı, 11 ile 14. yüzyıla tarihlendirilmektedir. Bugün ise Ayasofya Müzesi'ne bağlı yine bir müze olarak kültür ve turizme hizmet etmektedir.

Kariye Camii'nin hareketli dış mimarisinin yanı sıra iç mozaik ve fresko dekorasyonları, Bizans sanatının Rönesans'ı sayılan şaheserlerdendir. Bunlar, 14. yüzyıldaki eklentilerle birlikte Teodoros Metohites tarafından yaptırılmıştır. Yapının girişindeki iki koridorda, İncil'de olduğu gibi kronolojik olarak Bakire Meryem ve İsa'nın hayatları mozaiklerle anlatılmıştır. Yan ek şapelde ise dini konular fresk olarak işlenmiştir. Konular arasında, kilise ve saray ileri gelenlerinin figürleri de yer almaktadır.

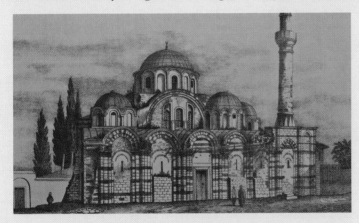

Kariye Camii'nin hareketli dış mimarisinin yanı sıra iç mozaik ve fresko dekorasyonları, Bizans sanatının Rönesans'ı sayılan şaheserlerdendir.

◄

Kariye Camii'yi tasvir eden bir gravür

16. yüzyıl başlarında camiye çevrildikten sonra bazı kısımları kapatılan mozaik ve freskolar, 1950'den itibaren Amerikan-Bizans Enstitüsü tarafından ortaya çıkarılmıştır.

Kariye Manastır ve Kilisesi, zaman içerisinde civarındaki imparatorluk saraylarıyla komşu olmuş ve önem kazanmıştır. Usta sanatçıların binayı böylesine zengin ve itinayla süslemeleri 14. yüzyılın zor şartları içerisinde gerçekleşmiştir.

1320'li yıllarda, yan şapeli, dış narteksi ve süslemeleri yaptıran Teodoros Metohites, zamanının önemli bir devlet adamı ve âlimiydi. Yapının duvar resimleri bir artistler grubunun eseridir. Orta mekânın üst kısımlarındaki mozaikler zamanımıza ulaşmamıştır. Bizans resim sanatının bir özelliği de figürlerin yanına monogram ve yazıt ilave edilmesidir. İstanbul'da Ayasofya'dan sonra en fazla mozaiğe sahip olan yapı Kariye Camii'dir.

44

KAPTAN-I DERYA CEZAYİRLİ HASAN PAŞA (CERRAH MAHMUD EFENDİ) CAMİ

~

Sarıyer'de Çayırbaşı semtinde Büyükdere girişindeki fidanlığın önündedir. 16. yüzyılda Kılıç Ali Paşa'nın (1500-1587) doktoru Cerrah Mahmut Efendi tarafından yaptırılmış olup banisinin adını taşımaktadır.

Kâgir duvarlı, ahşap çatılı camii, günümüze kadar geçirdiği onarım ve tadilat sonucunda değişikliğe uğramıştır. Dört ahşap sütuna oturan düz ahşap örtülü, açık bir son cemaat yerinden sonra, küçük bir kapıdan dikdörtgen planlı harim bölümüne geçilir. Harimde ahşap direklerle taşınan küçük bir fevkani mahfil mevcuttur. Mihrabı basittir, ahşap minber ise tamamen yenilenmiştir.

Yapının cephelerine, alttakiler kare, üsttekiler sivri kemerli ve revzenli olmak üzere iki sıralı dörder pencere açılmıştır. Yapının doğusunda, kesme taştan konik bir pabuç üzerine oturan, geniş silindir gövdeli basık bir minare bulunur. Minarenin yanındaki küçük hazirede caminin banisi gömülüdür.

Çayırbaşı Camii de denilen camiyi, Kaptan-ı Derya Cezayirli Hasan Paşa (ö. 1790) 1782'de tamir ettirmiş, hazirenin bitişiğine de moloz taşlardan kitabeli bir çeşme yaptırmıştır. Bu nedenle caminin ikinci banisi olarak kabul edildiğinden ötürü Cezayirli Gazi Hasan Paşa Camii olarak da bilinmektedir.

45

KAZASKER İVAZ EFENDİ CAMİİ

~

Edirnekapı'nın Haliç tarafında yer alan Eğrikapı'da, kara surlarının iç tarafındadır. Manavgat Alanyalı Kazasker İvaz Efendi (ö. 1586) tarafından inşa ettirilen yapının kitabesi günümüze ulaşmamıştır. Caminin cephelerindeki üslup ve gelişmiş altıgen şeması göz önüne alındığında, banisinin ölümünden kısa bir süre önce yapıldığı söylenebilir.

Surlar ve Anemas zindanları kalıntılarının yakınında olan caminin bahçesinde geniş bir çukur ve tüneller bulunmaktadır. Mimar Sinan'ın tezkirelerinde kaydı olmayan bu caminin, yapım tekniği ve üslubu yönünden incelendiğinde o ekolden gelen bir mimar tarafından inşa edildiği düşünülebilir.

Cami tek kubbelidir ve beş yarım kubbe ana kubbeye destek olmuştur. Klasik ana kapısı bulunmayan caminin ön cephesinde sağlı sollu iki kapı yer almaktadır. Taş ve tuğlayla inşa edilen yapının minaresi kıble duvarının köşesindedir.

Çeşitli tarihi kaynaklarda söz konusu caminin mektep, medrese, çeşme gibi yan öğelerle birlikte bir külliye olarak inşa edildiği belirtilmektedir. Bu yapılardan cami dışında günümüze ulaşmış tek öğe olan kitabesiz meydan çeşmesi, avlu duvarı dışındaki küçük meydandadır.

Bu mütevazı görünümlü caminin önemli bir özelliği, 16. yüzyılın ikinci yarısına ait İznik çinileriyle süslü mihrabıdır. Bu çinilerde beyaz zemin üzerine mercan kırmızısı, yaprak yeşili, mavi, lacivert gibi renklerle narçiçeği, hançer yaprakları, rozetler, ince dallar ve küçük yapraklarla döneminin bütün özelliklerini taşıyan birbirinden güzel hatayi desenler kullanılmıştır.

Kazasker İvaz Efendi Camii, yapısal özelliklerinin yanı sıra çinilerinin güzelliğinden dolayı döneminin özgün örneklerinden biri sayılmaktadır. Caminin banisi İvaz Efendi, bahçedeki hazirede metfundur.

Kazasker İvaz Efendi Camii, yapısal özelliklerinin yanı sıra çinilerinin güzelliğinden dolayı döneminin özgün örneklerinden biri sayılmaktadır.

46

KILIÇ ALİ PAŞA CAMİİ

~

Tophane Meydanı'nda, cami, medrese, türbe, sebil ve hamamdan oluşan küçük bir külliyedir. Uluç Ali Reis olarak da bilinen Kaptanıderya Kılıç Ali Paşa tarafından 1581 yılında Mimar Sinan'a yaptırılmıştır. Bu yapı, Mimar Sinan'ın yaşlılık dönemindeki son eserlerindendir.

Halk arasında anlatılan hikâyeye göre, cami yaptırmak için Sultan III. Murad'dan yer isteyen Kılıç Ali Paşa'ya kaptanıderya olduğu için camiyi denize yaptırması söylenmiştir. Bu nedenle Kılıç Ali Paşa denizi toprakla doldurtarak, kıyısına bu camiyi yaptırmıştır.

Cami geniş bir avlu tarafından çevrelenmektedir. Yapının son cemaat yerinin üzeri, aşağı doğru meyilli bir sundurmayla kapatılmıştır. İç bahçesinin üç kapısı da işlemeli olan caminin son cemaat yerinin pencere üstlerindeki çini panolarında ve kıble kapısının üzerinde ayetler yazılıdır.

Kılıç Ali Paşa Camii'nin bahçesinde sekiz mermer sütunlu ve kubbeli bir şadırvan bulunmaktadır. Ayasofya'nın planının geliştirilmiş bir örneği olan cami, tam bir dikdörtgen biçimindedir ve pencere üstleri çinilerle süslüdür. Dört mermer filayağına dayanan büyük kubbesini, kıble ve kapı tarafındaki iki küçük yarım kubbe desteklemektedir. Büyük kubbenin dört

köşesinde de birer ufak kubbe yer almaktadır. Camide çiçek motifleriyle süslü renkli çiniler bulunmaktadır. Yapıda, büyük kubbenin 24 penceresiyle birlikte toplam 147 pencere yer almaktadır. Caminin kubbesinden sarkan 16. yüzyıla ait bir gemici feneri, 1948 yılında Deniz Müzesi'ne kaldırılmıştır.

Caminin sağında tek şerefeli bir minare yükselmektedir. Kılıç Ali Paşa'ya ait olan türbe, caminin bahçesinde ve kıble yönünde bulunmaktadır. Bahçe duvarının caddeye bakan kısmında ise sebil yer almaktadır. Hamam, caminin sağ tarafındadır ve günümüzde de kullanılmaktadır. Medrese ise hamamın deniz yönünde bulunmaktadır.

Caminin içinden bir görünüm
▼

47

KAYMAK MUSTAFA PAŞA CAMİİ

~

Çengelköy ile Vaniköy arasındaki Kaymak Mustafa Paşa Camii, Kuleli Askeri Lisesi'nin hemen yanı başında, Boğaziçi'nin belki de en güzel camilerinden biridir. Cami Kuleli Bahçe Camii olarak da bilinmektedir. Lale Devri'nde kaptanıderyalık yapan Mustafa Paşa, hayatı boyunca kendi adına bir cami yaptırma isteği duymuş; bu isteğini Çengelköy'e yaptırdığı camiyle gerçekleştirmiştir.

1720 yılında (h. 1133) III. Ahmed döneminde, aynı zamanda Nevşehirli İbrahim Paşa'nın damadı olan Kaymak Mustafa Paşa tarafından yaptırılan cami, dikdörtgen planlı ve kâgirdir. Eser, bir merkezi kubbeyle ve bu merkezi kubbenin köşe boşluklarında yer alan dört küçük kubbeyle örtülüdür. Yapı, mihrap cephesi ve yan cephelerdeki yuvarlak kemerli pencerelerle aydınlanmaktadır.

Ahşap çatılı yapıya son cemaat yeri ve hünkâr mahfili sonradan (1837) eklenmiştir. Bu nedenle son cemaat yerindeki kapının üzerinde Şair Pertev Paşa'nın bir dörtlüğünün yer aldığı 1837 (h. 1253) tarihli kitabe, yapının denize bakan tarafına sonradan eklenen ve II. Mahmud'a atfedilen hünkâr mahfili ve son cemaat yerinin kitabesidir.

1990'ların başında esaslı bir onarımdan geçen yapının son cemaat yerinin üstü de kadınlar mahfili olarak kullanılmaktadır. Ahşaptan yapılan bu bölüme, son cemaat yerinin sağından basamaklı bir girişle ulaşılmaktadır. Bu sonradan yapılan bölümlerdeki pencereler, kâgir bölümden (mescit) farklı olarak dikdörtgen sövelidir. Fevkani caminin girişi her iki yanda üçer pencere, üst katında ise ikişer pencereyle simetriktir.

Caminin denize bakan ve sağ tarafında yer alan hünkâr mahfili, günümüzde imam evi olarak kullanıldığından özgünlüğünü yitirmiştir.

Minare, caminin sol tarafında ahşap ilave kısma taşırılmadan ana gövdeye bitişik olarak inşa edilmiştir. Yapının kaidesi iki sıra tuğla, bir sıra taş malzemeyle meydana getirilmiştir. Gövdesi düzgün kesme taştan olan minarenin iç ve dışbükey hatlarla geçilen konsolunun ardından şerefesi oldukça sadedir.

Caminin mihrabı, gördüğü pek çok onarıma rağmen ana hatlarıyla ampir üslubuna sahip özelliğini korumaktadır. Eserin minber ve vaaz kürsüsü ise sonradan eklenmiştir.

Caminin içinden bir görünüm
▼

48

KÜÇÜK MECİDİYE CAMİİ

~

Beşiktaş'ta, Çırağan Sarayı'nın arkasında, Yıldız Parkı girişine doğru uzanan kısa yolun yanında, sağ tarafta yer almaktadır. Eser, Sultan Abdülmecid tarafından saray mimarı Garabet Amira Balyan'a h. 1265'te (1848) yaptırılmıştır.

Padişah, bu camiyi Yıldız ve Çırağan saraylarının merkez noktasında inşa ettirmiştir. Mabet, barok üslupta üzeri tek kubbeyle örtülü olarak kare planlı, harimi ile hünkâr mahfili ise kâgir malzemeyle ve tek minareli olarak inşa edilmiştir. Cami, üzerinde yer alan iki katlı mahfillerle bir bütün olarak ele alındığında dikdörtgen bir görünüm arz etmektedir.

Caminin karşısındaki karakol binası geçmişte Beşiktaş Askerlik Şubesi olarak kullanılmıştır, günümüzde ise Beşiktaş Emniyet Müdürlüğü binasıdır.

19. yüzyılda bu camiye "Teşrifiye Camisi" denirdi. Yapının etrafında sıbyan mektebi, medrese ve kervansaray bulunur, kervansarayda Anadolu'ya geçecek olan askerler kalırdı. Civarda yerleşim yeri olmadığı için yerleşik cemaati bulunmayan cami, halk arasında Misafir Camii olarak da bilinmektedir.

Küçük Mecidiye Camii'nin kuzeyinde, yüksek duvarlarla çevrili küçük bir avlusu bulunmaktadır. Avluya batı duvarı ortasından açılan çift kanatlı, etrafı geniş mermer söveli, taçlı motiflerle süslenmiş yüksek bir kapıdan girilmektedir. Duvarın üstündeki mermer alınlıkta Sultan Abdülmecid'in tuğrası ve altında Şair Ziver Paşa'nın Kazasker Mustafa İzzet Efendi tarafından talik hatla yazılmış dört mısralık inşa kitabesi yer almaktadır:

Sahib-i Zaman-ı Saltanat Hakan-ı Ahd-i ma'dalet

Yaptı saray nezdinde bir Cami-i Vala zehi

Bünyanı'nı tahsin edüp Ziver didi tarihini

Abdülmecid Han Cami-i Âli bina kıldı behi

Caminin kuzeyinde bulunan hünkâr mahfili çift taraflı, dikdörtgen planlı ve iki katlıdır. Kuzey ve güney uçları daire şeklinde düzenlenen yapıda, kâgir malzeme kullanılmış ve üzeri sıvanmıştır. Hünkâr mahfilinin cepheleri, camide de olduğu gibi parçalı bir görünüm ortaya koymaktadır.

Eserin minaresinden bir görünüm

KÜÇÜK MUSTAFA PAŞA - GÜL CAMİİ

~

Fatih'te Ayakapı semtinde bulunan mabet, Bizans devrinde inşa edilmiştir. Eski adı Ayia Teodosia olan Gül Camii'nin 10. ya da 11. yüzyılda inşa edildiği tahmin edilmektedir.

İkonoklasizm (ikona kırıcılık akımı) devrinde Sultanahmet'te bulunan Büyük Saray'ın kapısı üzerindeki İsa ikonasının indirilmesine karşı çıktığı için öldürülen Theodosia adlı kadının röliklerinin bu kiliseye konduğuna ve bu kilisenin adının Ayia Teodosia olduğuna inanılmaktadır. Fetihten sonra 1499 yılında camiye çevrilen yapı, Gül Camii ismini almıştır.

Bina, tuğla tonozlu bir bodrum üzerine inşa edilmiştir. Yunan haçı biçimindeki mabedin kubbesi, duvarlara bitişmeyen dört ayak üstünde durmaktadır. Binanın doğu tarafında, ortadaki daha geniş olmak üzere üç apsis yer almakta, apsislerdeki nişler ve tuğla bezemeler bulunan 13. ve 14. yüzyıllardaki tamirler sırasında yeniden yapıldığını göstermektedir. Orta apsisle sağ yan nef arasındaki payede içinde mezar olan bir hücre bulunmaktadır.

Büyük Saray'ın kapısı üzerindeki İsa ikonasının indirilmesine karşı çıktığı için öldürülen Theodosia adlı kadının röliklerinin bu kiliseye konduğuna ve bu kilisenin adının Ayia Teodosia olduğuna inanılmaktadır.

KÜÇÜK AYASOFYA CAMİİ

~

Sultanahmet'te, Cankurtaran ile Kadırga semtleri arasında bulunan yapı, deniz surlarının yanındadır. Günümüzde de kullanılır durumda olan İstanbul'un bu en eski yapısı, Ss. Sergius ve Bacchus Kilisesi adıyla 527-536 yıllarında inşa edilmiştir. Bin yıla yakın bir süre kilise olarak hizmet veren yapı, 1504'te II. Bayezid devrinde kapı ağası Hüseyin Ağa tarafından camiye çevrilmiştir.

Efsaneye göre I. Anastasius devrinde I. İustiniaunus ve amcası I. Justinos, İmparator Anastasius aleyhinde bir ayaklanmaya adları karıştığı için idama mahkûm edilir. Hüküm yerine getirilmeden bir gece önce çifte azizler Ss. Sergius ve Bacchus, İmparator Anastasius'un rüyasına girip I. Justinos ve I. İustiniaunus lehinde tanıklık ederler. Bu olaydan etkilenen imparator, onları affeder. I. İustinianus tahta çıkıp imparator olduğunda ise çifte azizlere karşı şükran borcunu ödemek için adak kilisesi olarak Ss. Sergius ve Bacchus adına bu kiliseyi yaptırır.

Yapı İstanbul'daki merkezi planlı, birinci dönem Bizans kiliselerinin tipik örneklerindendir. Dikdörtgen planlı kilisenin batısında narteks, doğusunda da yarım altıgen biçimindeki apsis yer almaktadır. Dikdörtgenin içine yerleştirilmiş olan sekizgen planlı orta mekân, köşelerinden eksedra denilen yarım daire biçimli nişlerle genişletilmiştir. Mekânın köşelerine çokgen biçimli ayaklar ile apsis hariç ikişer sütun yerleştirilerek, orta mekân ile apsis arasında bir bütünlük sağlanmıştır.

Orta mekân üzerinde köşelerindeki sekiz büyük ayakla taşınan on altı dilimli bir kubbe yer almaktadır. Bu dilimlerin sekizi düz, sekizi de içbükeydir. Düz dilimlerdeki çekme gerilemelerin etkisinde kalan alt kısımlarda bu etkiyi kaldırmak için kemer biçimli pencereler açılmıştır. Orta mekândan dikdörtgen forma geçişi sağlayan koridorların üstü tonozlarla geçilerek üst katta galeri şeklini almaktadır. Galeri katındaki eksedraların üstünden üç kemerle taşınan yarım kubbelerle geçilmiştir.

Kilisenin yapıldığı dönemde, iç duvarların eşzamanlı yapılarda olduğu gibi mozaiklerle süslü olduğu sanılmaktadır. Ancak günümüzde bunu doğrulayan hiçbir kanıt yoktur ve yapının iç yüzeyi tamamen sıvalıdır. Yapıdaki Bizans dönemine ait tek süsleme, orta mekânın etrafında galeri katı seviyesinde çok ince bir işçiliğe sahip üzüm salkımı ve yaprağı motiflerinden oluşan bir arşitravdır.

Ss. Sergius ve Bacchus Kilisesi'nde kullanılan yapı malzemesi taş, tuğla ve harçtır. Kuzey, batı ve doğu cephelerindeki duvarlar, onarım görmüş kısımlar hariç yığma tuğlanın geniş aralıklarla düzenlenen taş sıralarıyla desteklenmesiyle oluşturulmuştur. Tuğlalar harçla birbirine bağlanmıştır. 19. yüzyıl yapısı olan güney cephesinde ise düzensiz taş ve tuğla örgüleri vardır. Yapının bütününde, tuğla örgüsüne takviye amacıyla yapılan taş sıralarında değişik kireç taşı türleri kullanılmıştır.

Kaynaklara göre yapıda ilk hasar ve buna bağlı olarak ilk onarım 9. yüzyıldaki İkonoklazma hareketleri sonrasında oluşmuştur. Bunu takiben 1204 Latin istilası sonrasında da iç süslemelerin onarılması gerekmiştir.

1504'te kapı ağası Hüseyin Ağa'nın yapıyı camiye çevirtmesi sırasında yapının tüm iç süslemeleri değiştirilmiş; iç kısmının güneydoğusuna minber, kuzeybatısına müezzin mahfili, dış kısmındaki batı duvarının önüne son cemaat yeri olmak üzere camiye özgü bazı bölümler eklenmiştir. Cephelerinde Osmanlı mimari özelliklerine bağlı olarak farklı boyutlarda pek çok pencere açılan yapıdaki mevcut pencerelerin de bir kısmı kapatılmıştır.

Yapının güneybatı köşesine esas yapıdan bağımsız olarak bir minare inşa edilmiştir. Kaynaklarda 18. yüzyılda barok üslup özelliklerine sahip yeni bir minarenin yapıldığı belirtilmektedir. Kurşun kaplı klasik bir külahı olan bu minare, 1936'da kürsüsüne kadar yıkılmıştır. Bir süre yıkık duran minare, 1955 yılında yeniden inşa edilmiştir.

Balkan Savaşı sırasında savaştan kaçanlar tarafından barınma mekânı olarak kullanılan yapı, Cumhuriyet döneminde 1937 ve 1955'te olmak üzere iki büyük onarım geçirmiştir. Daha önce sıvalı ve badanalı olarak bilinen yapının cephesi 1955'ten sonra bakım görmüş ve kubbe kasnağı dışında tüm cephede tuğla ve taş örgüleri görünür hale getirilmiştir.

KÜRKÇÜBAŞI AHMED ŞEMSEDDİN CAMİİ

~

Şehremini'de, Millet ile Topkapı caddelerinin kavşağındadır. Kanuni'nin kürkçübaşısı Ahmed Şemseddin Efendi'nin banisi olduğu yapı, 1511 yılında inşa edilmiştir.

Cami kesme taş duvarlı, kare planlı ve ahşap kırma çatılıdır. Eserin göbekli iç tavanı ve minberi ahşaptır. Alçıdan yapılan, kum saatli ve sarkıtlı olan mihrabın çevresi kırmızı seramikle bezelidir. Caminin çatısı gibi kadınlar mahfili de ahşaptır. Camekânlı son cemaat yerinin arkasında dikili dört sütun vardır. Caminin sağında yer alan ve kesme taştan olan minarenin kaidesi kare, gövdesi köşeli, kurşun külahlı ve tek şerefesinin altı yivlidir. Minarenin alt tarafındaki h. 917 (1511) tarihli güneş saati, Endülüslü Mehmed bin Ebu'l Kasım'ın eseridir. İstinye ve Cerrahpaşa'da iki mescit daha inşa ettiren Kürkçübaşı Ahmed Efendi'nin kabri ise Şam'dadır.

Kürkçübaşı Ahmed Şemseddin Camii'nin avlusuna, birbirine yakın iki kapıdan girilmektedir. Sağdaki kapıdan girildikten sonra sağa doğru uzayan bahçenin üstü mezarlıktır.

Kürkçübaşı Ahmed Şemseddin Camii minaresinin alt tarafındaki güneş saati, Endülüslü Mehmed bin Ebu'l Kasım'ın eseridir.

✓ LALELİ CAMİİ

~

Sultan III. Mustafa tarafından 1760-1763 yılları arasında inşa ettirilen camii, bulunduğu semte de adını vermiştir. Camiye bu adın verilmesindeki sebep ise o dönem bu civarda III. Mustafa'nın velisi saydığı Laleli Baba'nın oturuyor olmasıdır.

Cami ve külliyesi 1783'teki yangınla harap olunca yeniden inşa edilmiş, 1911 yılında çıkan bir başka yangında ise medrese kullanılmaz hale gelmiştir. Yapının önündeki caddenin genişletme çalışmaları sırasında, son yangından kurtulan pek çok yapı ile birlikte hamamı da yok olmuştur.

Laleli Camii'nin yanındaki türbede Sultan III. Mustafa yatmaktadır.

Caminin mimarı Mehmed Tahir Ağa'dır. Ancak yapının inşasında dönemin baş mimarı Hacı Ahmed Ağa da katkıda bulunmuş olabilir. Selatin camiler arasında, içinde külliyesi olan son yapı topluluğu Laleli Külliyesi'nde yer almaktadır.

Elemanları bir bodrum üzerinde bulunan cami barok üslupta, kare ve mihrap çıkıntılıdır. Yapının ana kubbesi sekiz büyük sütun üzerinde oturmakta, çevresi ise altı yarım kubbeden oluşmaktadır. Kubbenin dış çapı 12,5 metre, dış yüksekliği ise 24,5 metredir. Hünkâr mahfili solda yer alan caminin iç avlusu 14 sütun olup 18 kubbenin altındadır. Avluya 2 kapıyla girilen yapının tek şerefeli iki minaresi bulunmaktadır. Sekiz sütunlu şadırvanı olan caminin caddeden girişi merdivenlidir. Bronz sebilli yapının caddedeki cephesine ek dükkânlar yapılmıştır. Caminin kapısının üst tarafında 1826/1827 tarihli kitabe yer almaktadır.

Caminin yanındaki türbesinde Sultan III. Mustafa ile iki hanımı Adilşah ve Aynülhayat kadınefendiler, oğlu III. Selim Han ile kızları Hibetullah Mihrimah ve Mihrişah sultanlar yatmaktadır.

▲

Caminin günümüzden bir görünümü

√ MAHMUD PAŞA CAMİİ

~

Kapalıçarşı'nın alt kapısının karşısında olan cami, bulunduğu semte de adını vermiştir. Fatih Sultan Mehmed'in sadrazamı Mahmud Paşa tarafından 1460-1464 yılları arasında külliye olarak Mimar Atik Sinan'a inşa ettirilmiştir.

Kesme taştan inşa edilen yapı, erken dönem Osmanlı camileri tipindedir.

▲

Caminin giriş kapısından bir görünüm

Mahmud Paşa Camii fetih sonrasının ilk büyük vezir külliyesi olup, Fatih Camii ve külliyesinden sonra 15. yüzyılın en önemli yapı topluluğudur. Külliye cami, türbe, hamam, han, medrese, imaret ve sıbyan mektebinden oluşmaktaydı. Ancak külliyeden günümüze camisi, türbesi, hanı ve hamamından başka yapı ulaşamamıştır. Caminin giriş kapısı üzerindeki kitabesine göre eser 1462'de tamamlanmış; hamam, medrese ve türbenin tamamlanması ise 1473'ü bulmuştur. Kesme taştan inşa edilen yapı, tabhaneli ya da zaviyeli cami denilen erken dönem Osmanlı camileri tipindedir. Caminin uzun dörtgen şeklindeki sahnı, ortasından büyük bir kemerle iki kareye ayrılmış ve her biri köşe bingilerine oturan kubbelerle örtülmüştür. Sahnın yanlarındaki kapılardan koridorlara geçilmektedir. Bu koridorlar üzerinde ise medrese odaları sıralanmıştır.

Cami, iki büyük kubbe ve etrafında üçer ufak kubbeyle örtülüdür. İçerisindeki mavi üzerine beyaz yazılı çiniler sonradan konulmuştur. Yapının minber ile mihrabı işlemeli mermerden yapılmıştır. Son cemaat yerinin yanlarındaki ufak kubbelerin altında koridorlar yer almaktadır. Kıble kapısının üzerinde h. 868 tarihli inşa kitabesi bulunan cami, 1755'te çıkan bir yangında büyük zarar görmüş, III. Osman tarafından da tamir ettirilmiştir. Cami, sonraki yıllarda da pek çok deprem ve yangında hasar görmüştür. Bu nedenle cami içindeki bezemeler özgünlüklerini yitirmiştir. Caminin kesme taştan tek şerefeli minaresi 1936'daki onarımdan sonra bugünkü şeklini almıştır.

Mahmud Paşa Camii'nin yangınlarla harap olan kısımları çeşitli devirlerde onarılmış, bu arada camide bazı değişiklikler yapılmıştır. Caminin beş kubbeyle örtülü revakı 19. yüzyılda bir onarım sırasında eklenmiştir. Son cemaat yerinde iki mihrap bulunan caminin mihrap ve minberi 18. yüzyılda eklenmiş, ahşap hünkâr mahfili de sonradan yapılmıştır.

İstanbul'un en eski han ve hamamlarından olan Mahmud Paşa Hamamı ve Kürkçü Han, caminin kuzeyindedir. Caminin doğusunda bulunan medresenin sadece bir dershanesi günümüze ulaşmıştır. Yapının avlusundaki çeşme ve sebil Darüssaade ağası Mustafa Ağa tarafından yaptırılmıştır. Mahmud Paşa'nın türbesi caminin arkasında yer almaktadır.

54

MEHMED TAHİR EFENDİ
(DEFTERDARTAHİR EFENDİ) CAMİİ

~

Mehmed Tahir Efendi Camii, Üsküdar Harem'de; iskelenin yakınında Selimiye İskele Sokağı, Selimiye Ambarı Sokağı ve Kavak Bayırı Sokağı'nın çevrelediği alandadır. Arazi meyilli olduğundan fevkânî olarak h. 1246 yılında Tahir Efendi tarafından yaptırılmıştır.

Daha önceleri bu yerde h. 1122 (1710)'de bir mescit vardı. Ancak bu mescit zamanla harap olduğundan yerine Defterdar Tahir Efendi tarafından bu cami yaptırılmıştır. Altında bir çeşme ve bir kaç dükkân vardır. Camiin yan tarafında ve set altında, ulu çınar ağaçlarının gölgelediği düz bir yer bulunmaktadır. Burada eski bir ayazma ve havuz vardır.

Defterdar Tahir Efendi tarafından bu caminin altında bir çeşme ve bir kaç dükkân vardır. Camiin yan tarafında ve set altında, ulu çınar ağaçlarının gölgelediği düz bir yer bulunmaktadır. Burada eski bir ayazma ve havuz vardır.

Yakın tarihe kadar önü deniz olan bu yerde, Üsküdar'ın en güzel kahvehanesi mevcuttu. Üsküdarlı ünlü ressam Hoca Ali Rıza Bey, buranın birçok resimlerini yapmıştır. Harem, arabalı vapur iskelesi yapılırken, deniz doldurulmuş ve kahvehane de bu sıralarda kapatılmıştır. Camiin arka tarafında ise, 1940 senelerinde yıktırılan Büyük Selimiye Ambarı bulunuyordu. Bugün yerinde Harem Oteli vardır.

Camiin yan tarafında ve Kavak Bayırı Sokağı'nda sağda Tahir Efendi'nin yaptırmış olduğu bir çeşme daha bulunmaktadır. Camiin çatısı ahşap ve kiremitlidir.

MESİH ALİ PAŞA CAMİİ

Fatih'te, Hırka-i Şerif Camii yakınında, eski Ali Paşa Caddesi üzerindedir. Eser, Sultan III. Murad devri veziri-azamlarından Hadım Mesih Mehmed Paşa tarafından h. 994 (1585-1586) tarihinde inşa ettirilmiştir. Burası halk arasında Mesih Ali Paşa Camii olarak bilinmektedir.

Mimar Sinan'ın mükemmel çalışmalarından biri olan Mesih Ali Paşa Camii'nin içindeki çiniler paha biçilemez değerdedir.

Cami, h. 1312 (1894) yılında depremden hasar görmüştür. Minaresinin yıkılan külahı, ancak 1935'te tamir edilerek yerine oturtulmuştur.

H. 1000 (1592) yılında vefat eden Mesih Mehmed Paşa, caminin avlusundaki üstü örtülü türbede metfundur. Mermer işçiliği oldukça güzel olan caminin avlusuyla birlikte toplam alanı 1.000 metrekare civarındadır.

Mimar Sinan'ın mükemmel çalışmalarından biri olan Mesih Ali Paşa Camii'nin içindeki çiniler paha biçilemez değerdedir.

Caminin önündeki yolun kotu, bugün bir metre kadar indirilmiştir ve caminin dış avlusunun altına dört beş dükkân açılmıştır. Caminin ilerisindeki cadde günümüzde park olarak tanzim edilmiş, meydan elden geçirilmiş ve ağaçlandırılmıştır.

19. yüzyıl sonlarında Mesih Ali Paşa Camii

MESİH MEHMED PAŞA CAMİİ

~

Fatih'te, Karagümrük semtinde, Prof. Naci şensoy Caddesindedir. Eser, aynı zamanda Mesih Ali Paşa Camii'nin de banisi olan III. Murad'ın sadrazamlarından Hadım Mesih Mehmed Paşa tarafından h. 994-997 (1585-1588) yıllarında Mimar Sinan ve kalfası Mimar Davud Ağa'ya yaptırılmıştır.

Hırka-i Şerif Camii yakınındaki Mesih Mehmed Paşa Camii'nin mihrabı çıkıntılı olup, sekiz kemerlidir. Tek kubbeli, tek minareli, üç kapılı ve çinili olan caminin son cemaat yeri beş kubbelidir. Mihrap ve minberindeki sanatkârlık açısından değerli olan caminin yan galerileri de bu yapıya mahsustur.

Daha önceleri caminin yerinde Hasan Paşa Mescidi bulunmaktaydı. Mesih Mehmed Paşa, Hasan Paşa'nın da rızasını alarak, buradaki mescidin yerine bugünkü camiyi inşa ettirmiştir. 1591 yılında vefat eden Mesih Mehmed Paşa'nın türbesi, önceden Hırka-i Şerif Camii yakınında yaptırdığı Mesih Ali Paşa Camii avlusundadır.

II. Abdülhamid devrinde harap durumda olan cami, Fetva Emini Hacı Nuri Efendi tarafından yeniden yaptırıldığından Fetva Emini Camii olarak da bilinmektedir. Duvarları kâgir olan mabedin minaresi tuğla örgülü olup, üzeri betonla sıvanmıştır. Caminin sonradan eklenen üst kısmında geniş bir mahfil yer almaktadır.

1987'de caminin son cemaat yeri genişletilerek avludaki şadırvan kaldırılmış, aptes alma yerleri ve tuvaletler avlunun altına alınmıştır. Caminin arka kısmında cemaat için okuma ve sohbet odaları inşa edilmiştir. Kabakulak Sokak'ta cami görevlilerine ait dört adet ahşap meşrutası bulunmaktadır.

▲

Caminin eşsiz işçiliğe sahip mihrabı ve minberi

MİHRİMAH SULTAN CAMİİ

~

Edirnekapı semtinde, surların iç tarafındadır. Kanuni'nin kızı Mihrimah Sultan tarafından 1562-1565 yılları arasında Mimar Sinan'a yaptırılmıştır.

Mihrimah Sultan Camii, İstanbul'un yedi tepesinden birinin en yüksek noktasındadır. Bizans dönemine ait Aya Yorgi Manastırı üzerine inşa edilen cami, 1884'te meydana gelen şiddetli depremde büyük hasar görmüş, 20. yüzyıl başlarında Vakıflar İdaresi tarafından restore edilmiştir.

Cadde üzerindeki kapıya açılan merdivenlerle, üzerinde caminin yer aldığı terasa çıkılmaktadır. Uzun ve dikdörtgen bir avlusu olan bu mabette Mimar Sinan'ın yarattığı mekân ve ışık mucizesi, süslemeleri gölgede bırakmaktadır.

Mihrimah Sultan Camii dikdörtgen planlı olup, etrafında medrese, mektep, türbe ve hamam yer almaktadır. Büyük avlu kapısından dik merdivenlerle cami içine çıkıldığında, sağ tarafta medreseler ve karşısında yedi kubbeli sekiz mermer granit sütunlu son cemaat yeri bulunmaktadır. Şadırvan bunların arasında bahçede, caminin minaresi ise sağdadır. Mabedin kubbesi üçer kemere yaslanmakta, yanlarda ikişer sütun, sağ ve solda 3 kubbe ve mahfiller bulunmaktadır. Caminin mihrap ve minberi taş işçiliğiyle yapılmıştır. Camiyle birlikte inşa edilen hamam cadde kenarındadır.

19. yüzyılın ikinci yarısında tek kubbeli camilerde rastladığımız ışıklı, tek kubbeli mekân etkisi, burada üç asır önce yetkin bir örnek olarak Mimar Sinan tarafından gerçekleştirilmiştir. Kubbe ve bütün kemerlerin içi çok sayıda pencereyle bir ışıklı perde haline getirilmiş, hem yapının içinde hem de dışında olağanüstü bir görünüm sağlanmıştır.

Ana kubbeli bölümün iki yandan galerilerle enine büyütülmesi özgün bir deneme olarak karşımıza çıkmaktadır. İç mekân kubbe duvarına paralel genişletilerek, Mihrimah Sultan'ın Üsküdar'daki camiinde olduğu gibi farklı bir biçim ortaya konmuştur.

Yapının orta mekânı, mukarnas başlıklı büyük granit sütunların taşıdığı yüksek bir üçlü kemerle yan sarımlara açılmakta ve burada alçak galeriler dolaşmaktadır. Bu galerilere revak altından ve cami içinden erişilmektedir. Caminin, Sinan çağının en güzel örneklerinden biri kabul edilen mermer bir minberi bulunmaktadır. Caminin 1894'teki depremden sonra yapılan süslemesi, 1957'deki onarımda temizlenmiş, yerine bugünkü bezeme yapılmıştır.

Mihrimah Sultan Camii, İstanbul'un yedi tepesinden birinin en yüksek noktasında yer almaktadır.

Caminin iç avlusunun güneybatı ve kuzeydoğu kenarlarında on dokuz hücre ve iki küçük eyvan vardır. Caminin girişi, asimetrik olarak sur tarafındaki iki kapıdan iç avluya ve kuzeydoğuda kayyum odası altındaki merdivenden dış avluya yapılmıştır. Bu külliye için Küçükköy civarından su getirtilmiştir. Daha sonra bu su, Fatih'teki Ali Paşa ve Nişancı camileriyle birlikte birçok çeşme ve şadırvanı beslemiştir.

Güzel Ahmed Paşa Türbesi'yle bitişik olan sıbyan mektebi, kubbeyle birlikte restore edilmiştir. Burası öndeki hazireden Güzel Ahmed Paşa Türbesi'ne geçiş veren tonoz örtülü bir koridor ve kubbeli sofanın güneybatısında yer alan bir dershaneden ibaretti.

Çifte Hamam'ın girişlerinin iki ayrı cepheden oluşuyla kadın ve erkek bölümleri, ılıklıktaki küçük ayrıntılar dışında aynı plana sahiptir. Yaklaşık 13 metre çapındaki kubbelerle örtülü soğukluktan aynalı tonozla örtülü bir ılıklığa ve oradan da bir kubbeli arasta odadan dört eyvanlı sıcaklığa geçilmektedir. Kadın ve erkek bölümlerinin arkasında külhan bulunmaktadır. Külliyenin 63 dükkândan oluşan bir çarşısı vardır. Bu çarşının 23 dükkânı avlu kotunun altında, avlunun kuzeydoğu ve kuzeybatı duvarlarına bitişik olarak inşa edilmiştir. Yeni onarımda dükkânlar yapılmamıştır.

58

MİHRİMAH SULTAN CAMİİ - ÜSKÜDAR

~

Üsküdar Meydanı'nda bulunan cami, Kanuni Sultan Süleyman'ın Hürrem Sultan'dan olan kızı Mihrimah Sultan adına 1548'de Mimar Sinan'a yaptırılmıştır.

Sinan'ın erken dönem eserlerinden olan külliye bir cami, medrese, türbe, sıbyan mektebi, han ve imarethane ile tabhaneden oluşmaktaydı. Bunların ancak bir kısmı günümüze gelebilmiştir.

Mimar Sinan, bu camide Ayasofya Camii'nin daha çağdaş bir modelini gerçekleştirmiştir. Caminin avlusuna bakan görkemli giriş kapısının iki yanına üzeri stalaktitli birer mihrabiye yerleştirilmiştir. Giriş kapısı kırmızı ve beyaz mermerlerin alternatifli sıralanmasıyla oluşmuş yuvarlak kemerden meydana gelmiştir.

Genellikle cami girişlerinin üzerinde bulunan yarım kubbe bu yapıda uygulanmadığından, camiye giriş anından itibaren ziyaretçiler ana kubbenin altına geçiş sağlamaktadırlar. Pencere kapakları, mermer mihrabı ve minberiyle caminin girişindeki şadırvan ince bir işçilik ürünüdür.

Medrese avlusunun iki uzun cephesine on dört oda yerleştirilmiştir. Bu odaların önünde sütunların yuvarlak kemerlerle birbirine bağlandığı, üzerleri kubbeli bir revak bulunmaktadır. Üzerleri kubbeyle örtülü medrese hücreleri kare planlı olup, içlerinde birer ocak ve dolap nişleri yer almaktadır.

Medrese avlu girişinin karşısına gelen mekâna kare planlı dershane yerleştirilmiştir. Üzerinde kitabesi bulunmayan dershanenin üzeri tromplu bir kubbeyle örtülmüştür. Dershane ayrıca beş adet pencereyle aydınlatılmıştır.

Cumhuriyet'in ilk yıllarında Çocuk Dispanseri ve Ruh Sağlığı binası olarak kullanılan medrese, günümüzde özel bir tıp merkezi olarak faaliyet göstermektedir.

Caminin kuzey yönünde yer alan medrese kesme küfeki taşından yapılmıştır. Günümüzde sağlık merkezi olarak kullanılan medresenin içi, yapılan müdahalelerle özgünlüğünü yitirmiştir. Medresenin on dokuz kubbesi kurşunla kaplı olduğundan, burası Kurşunlu Medrese ismiyle de tanınmaktadır. Kaynaklardan anlaşıldığına göre, medresenin yapımından sonra devrin ünlü müderrislerinden İmamzade Mehmed Efendi burada ders vermiştir. Onun ardından Şemseddin Ahmed Efendi, Arapzade Mehmed Efendi, Şah Mehmed Çelebi, Hacı Muradzade Dursun Efendi, Şeyhülislam Çivizade Mehmed Efendi de burada ders vermiştir. Vakfiye kayıtlarına göre, günlük olarak müderrise 50, öğrencilerden en bilgili olanına 5, dersi terk etmeyen 14 öğrencinin her birine 2'şer, sabah namazından önce kapıyı açarak yatsıdan sonra kapayacak kapıcıya 2 ve temizlik işlerine bakan ferraşa ise günde 1 akçe verilmesi şart koşulmuştur

Cami ile medrese arasında biri Mihrimah Sultan'ın iki oğluna, diğeri ise Sadrazam İbrahim Edhem Paşa'ya ait iki türbe bulunmaktadır. Sıbyan mektebi caminin kıble yönündedir. Tabhane, imarethane ve han ise günümüze ulaşmamıştır.

Nisan ve Mayıs aylarında Beyazıt Yangın Kulesi'nden veya o bölgedeki yüksek bir noktadan bakıldığında Mihrimah Sultan Camii'nin iki minaresi arasında güneşin doğuşu, akşam ise günbatımında ayın batımı izlenebilmektedir. Aynı kuleden batı ufkuna bakıldığında ise yine Mihrimah Sultan için Mimar Sinan'ın inşa ettiği Edirnekapı Külliyesi'nde sabah ayın batışı; akşam ise güneşin batışı izlenebilmektedir.

Caminin mihrabı ve minberi
▼

59

MOLLA ÇELEBİ CAMİİ

~

Fındıklı'da bulunan cami, 1586'da (h. 1006) Kanuni Sultan Süleyman döneminde Bursa ve İstanbul kadılığı yapmış Mehmed Vusuli Efendi (Molla Çelebi) tarafından Mimar Sinan'a yaptırılmıştır. Cami çeşitli zamanlarda yangınlar ve onarımlar geçirmiştir. 1627'de caminin son cemaat mahalli yanmış, yeniden tamirat görmüştür. 1723-1724 yıllarında çıkan yangınlarda hamamın hasar gördüğü bilinmektedir. 1822'de büyük Tophane yangınında da cami ve hamam büyük hasar görmüştür. 1843 yılında bir yangın daha geçirdiği sanılmaktadır.

1954 yılında önceleri camide yer yer çatlaklar olduğu, daha sonra 1957-1958 yıllarında yol yapımı sırasında cami külliyesinden olan hamamın ve ahşap olan son cemaat mahallinin yıktırıldığı bilinmektedir. 1960'larda bugünkü haliyle son cemaat yeri yeniden yaptırılmış, bu arada cami de tamir edilmiştir.

> Kâgir yapılı, kubbesi kurşun kaplamalı, tek şerefeli bir minaresi olan camii, merkezi kubbe dört sütuna müstenit olup, beş yarım kubbe ile çevrilmiştir.

2.500 metrekare toplam arsa üzerine inşa olunan, kâgir yapılı, kubbesi kurşun kaplamalı, tek şerefeli bir minaresi olan camii, bahçe ve avlusu dahil 440 metrekare alan üzerine kuruludur. Merkezi kubbe dört sütuna müştenit olup, beş yarım kubbeyle çevrilmiştir. 2001 yılında kubbenin kurşunları ve minaresi yenilenmiştir.

Cami hamam ve sıbyan mektebinden oluşan bir külliye içindeydi. Sıbyan mektebi yıktırılarak yeşil alan olmuştur. Kitabesine göre hamamın yapım tarihi 1561'dir. 1787 tarihinde Koca Yusuf Paşa tarafından yaptırılan iki yandaki sebiller ve çeşme, barok tarzında yarım daire, güzel bir cephe meydana getirmiştir. Molla Çelebinin kabri Eyüp'te dergâhının yanındadır.

Caminin görkemli tavabı, avizesi, mihrabı ve minberi
▼

60

MOLLA GÜRANİ (KİLİSE) CAMİİ

~

Fatih'te, Vefa semtindeki bu yapının, yazılı kaynaklarda Aziz Theodoros adına kilise olarak inşa edildiği belirtilmektedir. Binanın ilk inşa tarihi, mevcut parçalar ve temelindeki damgalı tuğlalara göre 5. yüzyılın ortalarını göstermektedir. Bugünkü haliyle yapının esası ise 10-11. yüzyıla aittir.

İki ayrı devirde inşa edilen, Orta Bizans döneminde çok kullanılan kapalı haç planındadır. Latin istilasında tahrip olan eser, 1261'den sonra esaslı bir onarım görmüştür. Bazı eklemelerin dışında binaya bir de beş kısımdan oluşan dış narteks eklenmiştir. İki katlı olan bu bölüme dış taraftan merdivenle çıkılmaktadır. Ayrıca bu bölümün üzeri, dışarıdan köşeli ve kasnağında pencereler açılmış üç kubbeyle örtülüdür.

Ek yapıda kullanılan devşirme malzemede 6. yüzyıla ait parçalara çokça rastlanmaktadır. 1937'de burada yapılan restorasyon çalışmaları sırasında, dış narteks kubbelerindeki mozaikler temizlenerek ortaya çıkarılmıştır. Bu kubbenin ortasında Teodokos Meryem kucağında çocuk İsa'yla kubbenin tam

Bu kilise, Fatih'in hocası ve şeyhülislamı Molla Gürani tarafından camiye çevrilmiş, eserin güneydoğu köşesine de bir minare eklenmiştir.

ortasında bir yuvarlak içindedir. Etrafı dilimlere ayrılmış olan kubbenin diğer satıhlarında, Tevrat'ta adı geçen peygamberler tasvir edilmiştir. Bu mozaikler altın yaldızlı olduğu için, değerli madeni toplamak gayesiyle kazındığından tahrip edilmiştir.

Bu kilise, Fatih'in hocası ve şeyhülislamı Molla Gürani tarafından camiye çevrilmiş, bu dönemde apsis değiştirilmiş ve eserin güneydoğu köşesine de bir minare eklenmiştir. 1833'te geçirdiği bir yangın sonrası tamir edilirken eski paraklesion yıkılmış, yapının giriş kapısında da değişiklikler yapılmıştır. İçerideki dört sütun ise kesilerek yerine desteği kuvvetlendirmek için payeler konmuştur. Bina mozaiklerinin de bu tamir esnasında yok olduğu tahmin edilmektedir.

MOLLA FENARİ İSA CAMİİ

~

Fatih'te, Vatan Caddesi üzerindedir. Fenari İsa Camii, 10. yüzyılda Doğu Roma donanma komutanı Konstantinos Lips tarafından inşa ettirilen manastırın kilisesidir. Bu yapı Moni tu Libos adıyla da bilinmektedir.

Yapı, İstanbul'un fethinden sonra Alaaddin Ali Efendi tarafından mescide, 1633'te çıkan bir yangında tahrip olması üzerine de Sadrazam Bayram Paşa tarafından onartılarak camiye çevrilmiştir. Cami ayrıca 1960 yılında bir onarım daha görmüştür.

Kilise ilk inşa edildiğinde binanın bugün kuzeyde bulunan kısmından ibaretti. Latin istilasından sonra yeniden önem kazanan manastır için İmparatoriçe Theodora, kiliseye bitişik ikinci bir kilise daha inşa ettirmiş, 14. yüzyılda inşa edilen üçüncü bir binayla kilise bir kez daha büyütülmüştür. 15. yüzyılda şehrin el değiştirmesinin ardından manastır zaviyeye, manastır kilisesi de camiye dönüştürülmüştür. 1918'deki büyük Fatih yangınında ciddi hasar gören cami, 1960 yılında restore edilerek yeniden ibadete açılmıştır.

Yapının en eski bölümü, dört sütunlu kapalı Yunan haçı planındadır. 13. yüzyıl sonlarında inşa edilen güney kilisesi ise dehlizli tip sistemine göre yapılmıştır. Yapının dış cephesinde tuğla bezemeler vardır. 14. yüzyılda yapılan ekleme, her iki binayı da saran koridoru oluşturmaktadır.

Yapı, İstanbul'un fethinden sonra Alaaddin Ali Efendi tarafından mescide, 1633'te de Sadrazam Bayram Paşa tarafından onartılarak camiye çevrilmiştir.

MURAD PAŞA CAMİİ

~

Fatih ilçesinin Yusufpaşa semtinde, Millet ile Vatan caddelerinin kesiştiği noktada, Aksaray Meydanı'nın kenarındadır. Banisi Has Murad Paşa olan eser, 1465-1471 arasında inşa edilmiştir.

Duvarları kesme taş ve tuğladan örülen cami, iki fonksiyonlu Bursa üslubunda yapılmıştır. Günümüze sadece cami ve haziresinin bir kısmı gelebilen yapı topluluğu, aslında bir külliye olarak inşa edilmiştir. Eser, erken Osmanlı plan tipi olarak bilinen ve Bursa'da gelişen ters T plan şemalı bir mabettir.

Son cemaat yerinin önü revaklı olup, arka arkaya iki kubbeyle ve iki hücreyle konumlandırılmış bir külliyedir. Almaşık bir yapıda inşa edilen yapıda iki sıra tuğla, bir sıra kesme taş tekniği kullanılmıştır.

Son cemaat yerinin önünde biri sağda, diğeri solda olmak üzere iki mihrabı olan camide, kubbeye pandantiflerle geçiş yapılmıştır. Cephesi iki kat pencereli olan ibadethanede üst pencereler yuvarlak, alt pencereler ise dikdörtgen şeklindedir.

Camideki farklı malzemelerle yapılmış sütunlar, farklı yüksekliktedir. Mermer portalı sade ve yüksek olup, mukarnaslı pandantifler görülmektedir.

Duvarları kesme taş ve tuğladan olan Murad Paşa Camii, iki fonksiyonlu Bursa üslubunda yapılmıştır.

NURBANU VALİDE ATİK SULTAN CAMİİ

~

Üsküdar'da, Toptaşı semtindedir. Eser, II. Selim'in eşi ve III. Murad'ın annesi olan Nurbanu Valide Sultan tarafından 1570-1579 yılları arasında Mimar Sinan'a inşa ettirilmiştir.

Boyutları açısından İstanbul'un en büyük külliyelerinden biri olan eser halk arasında Eski Valide ve Valide-i Atik isimleriyle de bilinmektedir. Cami, medrese, tekke, sıbyan mektebi, kervansaray, hamam, darülkurra ve darüşşifadan oluşan külliyenin günümüzde sadece camisi ve 16. yüzyıl ayrıntılarını kaybetmiş hamamı özgün işlevini sürdürmektedir. Acil onarıma gereksinim duyulan diğer yapıları ise ziyarete kapalıdır.

Külliyenin inşasından sonra caminin içi yanlara doğru mekânlar eklenerek genişletilmiştir. Genişletme çalışması Sinan'ın yaşamının son yıllarına denk geldiği için araştırmacılar, bu bölümün Sinan'ın yardımcıları tarafından yapıldığını tahmin etmektedir. II. Mahmud döneminde camiye bir hünkâr kasrı ve mahfili eklenmiştir.

19. yüzyılda özellikle yoksul vatandaşların tedavilerinin yapıldığı bir hayır kurumuna dönüşen mekân, 1865'te İstanbul'da baş gösteren kolera salgını süresince hastane olarak kullanılmıştır. Bir süre askeri depoya da dönüştürülen yapı, 1873 yılında ise akıl hastanesi olarak hizmet vermeye başlamış, bu durum 1927'de Mazhar Osman'ın buradaki hastaları Bakırköy'e nakletmeyi önermesine kadar sürmüştür. Sekiz yıl sonra bina bir kez daha kimlik değiştirerek, 1935'te Gümrük ve Tekel Bakanlığı tarafından tütün atölyesi olarak kullanılmaya başlanmıştır.

1976'da Vakıflar Genel Müdürlüğü'ne devredilen binanın darülhadis bölümü de cezaevi olarak kullanılmıştır. Geriye kalan aşhane, tabhane ve kervansaray bölümleri meslek lisesi olarak hizmet vermiş, 1978-1982 yılları arasında da bina imam hatip lisesi olarak faaliyet göstermiştir.

Külliyenin büyük bir bölümünün yakın bir tarihe kadar cezaevi olarak kullanılması, özgünlüğünü kaybetmesinin en önemli nedenidir. Toptaşı Cezaevi adıyla hapishane olarak kullanılan bölümler, bundan böyle Marmara Üniversitesi Güzel Sanatlar Fakültesi bünyesinde bir sanat merkezi olarak hizmet verecektir.

NURUOSMANİYE CAMİİ

~

Kapalıçarşı'nın Çemberlitaş Kapısı çıkışında, iki metrelik bir subasman üzerinde yer alan ilk barok özellikli camidir. Eser, Sultan I. Mahmud zamanında yapılmaya başlanmış, III. Osman zamanında Nur-u Osmanî adıyla tamamlanmıştır. Cami, Mustafa Ağa ve yardımcısı Simon Kalfa tarafından 1748-1755 yılları arasında inşa edilmiştir.

Yapının dış avlusundaki iki kapısından biri Kapalıçarşı'ya, diğeri Çemberlitaş'a açılmaktadır.

Şadırvanı bulunmayan caminin önde ve arkada apteslikleri bulunmaktadır. Ayrıca bir apteslik de yapının giriş kapısı karşısındaki bodrumundadır.

Caminin Kapalıçarşı'ya açılan kapısı

Yüksek mermer merdivenlerle iki yönden çıkılan cami, 174 pencerelidir. Mihrabı çıkıntılı olan yapının müezzin mahfili cümle kapısı üstündedir. Kare planlı caminin iç avlusu yarım daire şeklindedir. Yapının avlusunda bir kütüphane, iki sebil ve bir çeşme yer almaktadır. Beş kubbeli son cemaat yeri "u" biçimindedir. Ana kubbesi 26 metre çapındaki yapıya bitişik iki şerefeli iki minaresi taş külahlıdır.

Nuruosmaniye Camii'nin külliyesi imaret, türbe, kütüphane, medrese, çeşme, sebil ve dükkânlardan oluşmaktadır. Böylece her külliyede olduğu gibi burada da bilime, kültüre ve sanata ayrıca hizmet edilmiştir.

Sultan Selim Camii'nin başimamlığı ile Sultan Ahmed Camii'nin ikinci imamlığını yapan ve ilk Türkçe ezanı okuyan Sadeddin Kaynak, cenaze namazının bu camide kılınmasını vasiyet etmiştir. Nuruosmaniye Camii'nin kütüphanesinde 5 binden fazla yazma ve basma eser bulunmaktadır.

Mosquée Nouri Osmanié. Stamboul. Constantinople.

23-5-04

Salutations distinguées

Ch.

NUSRETİYE CAMİİ

~

Nusretiye Camii, 19. yüzyılda İstanbul'un Tophane semtinde inşa edilmiş bir camidir. İlk olarak III. Selim tarafından yaptırılmıştır. II. Mahmud yanan camiyi yeniden yaptırmış ve camiye Nusretiye adı bu dönemde verilmiştir. Yapının mimarı Kirkor Balyan'dır. Nusretiye'nin kubbesinin yerden yüksekliği 33 metre, çapı ise 7,5 metredir.

18. yüzyılın sonlarında burada Sultan III. Selim'in yaptırdığı Tophane-i Âmire Arabacılar Kışlası Camii, 1823'teki Firuzağa yangınında yanıp kül olmuştur. Sultan II. Mahmud 1823'te yanan caminin yerine yeni bir caminin inşaatını başlamış, yangın yerindekilere yapılan yardımlardan olsa gerek, caminin adı Nusretiye olmuştur. Caminin mimarlığını Osmanlı'ya sonradan saraylar, köşkler inşa edecek Balyan ailesinin ilk kuşağından Meremetçi Bali Kalfa'nın oğlu Kirkor Amira Balyan üstlenmiştir. Üç yıl süren inşaatın ardından 1826'da Sultan II. Mahmud, saltanat kayığıyla Tophane İskelesi'ne çıkmış, yere serilmiş değerli kumaşların üzerinde at sırtında ilerleyerek camiye gelmiş ve caminin açılışını gerçekleştirmiştir.

Tek kubbeli ve iki minareli caminin minareleri çok ince ve yüzeyi olukludur. Cami döşemesi ile iç kısımdaki hünkâr mahfili bütünüyle mermerdir ve kafesi pirinç dökme ile altın yaldızlıdır.

Caminin yazıları Mustafa Rakım Efendi ve Şakir Efendi'ye, caminin büyük giriş kapısı üstündeki yazı ise Yesarizade Mustafa İzzet Efendi'ye aittir. Cami kapısının karşısında sebil vardır. Yapıldığı yıllarda İstanbul'da etkin olan ampir ve barok üslup etkisindeki caminin sebil, muvakkithane ve şadırvanı da Tophane'yi süslemektedir.

Sultan II. Mahmud, kubbenin mahyaları örttüğünü fark edince minarelerini alt şerefelere kadar yıktırmış ve üst şerefeleri daha yükseğe aldırtarak baştan yaptırmıştır.

1956'daki yol çalışması sırasında caddenin karşısında kalan sebil ve muvakkithane sökülerek caminin yanına taşınmıştır.

Nusretiye Camii'nin yazıları Mustafa Rakım Efendi ve Şakir Efendi'ye, caminin büyük giriş kapısı üstündeki yazı ise Yesarizade Mustafa İzzet Efendi'ye aittir.

▲

Caminin alemlerinden bir görüntü

ORHANİYE KIŞLASI CAMİİ

~

Beşiktaş'ta Ortaköy semtinde yer alan cami, Yıldız Sarayı'nın arkasında, Orhaniye Kışlası'nın içindedir. 1887 yılında inşa edilen caminin II. Abdülhamid tarafından atası Orhan Gazi'ye ithafen yaptırıldığı yazılıdır.

Günümüzde İstanbul Merkez Komutanlığı olarak hizmet veren Orhaniye Kışlası'nın ortasında bulunan cami, tek kubbeli ve minaresi önde olarak inşa edilmiştir. Orhaniye Kışlası, Yıldız Sarayı'nın dış duvarlarından bir yolla ayrılmaktadır. Kışlanın saraya bu kadar yakın yapılması, saray güvenliğiyle doğrudan bağlantılı olduğunu düşündürmektedir.

Yapının güney cephesinde yer alan ve II. Abdülhamid'in tuğrasının bulunduğu kitabede yapım tarihi h. 1303 (1887) olarak belirtilmektedir. Caminin minaresi, yapının kuzeybatı köşesine bitişik vaziyettedir. Taştan yapılmış minarenin şerefesi, ince sütuncuklarla bağlantılı sivri kemerlere sahiptir. Ortasında bir boğum olan taş külahı alemle bir bütünlük oluşturmaktadır.

Kayıtlarda yeni silahhane olarak yapıldığı belirtilen ve mühimmat ambarı olarak kullanılan bina, uzun yıllar bu amaçla kullanıldıktan sonra 1960'larda askeri cezaevi olarak hizmet vermiş, 1979'da merkez komutanlığına devredilmiştir. Günümüzde yapının bir bölümü merkez komutanlığı reviri, diğer kısmı ise emekli subaylar derneği lokali olarak kullanılmaktadır. Asıl bina 1979'a kadar muharebe kışlası olarak kullanılmış, Eylül 1979'dan itibaren de Harbiye'den buraya taşınan merkez komutanlığı emrine verilmiştir.

ORTAKÖY (BÜYÜK MECİDİYE) CAMİİ

~

Ortaköy İskele Meydanı'nın kuzey ucunda ve sahildedir. Güneyi ve batısı denizle çevrili olan eser, Boğaz'a uzanan küçük bir burnun üzerindedir. Dere ile denizin kesiştiği yerde bulunan cami, Büyük Mecidiye Camii olarak da bilinmektedir.

Ortaköy Camii, Dolmabahçe Sarayı'nın yapıldığı ve kentin anıtsal dokusunun Boğaziçi'ne doğru uzandığı yıllarda, bu açılışı simgeleyen yapımlardan biri olarak gerçekleştirilmiştir. Caminin bulunduğu yerde daha önce Vezir İbrahim Paşa'nın damadı Mahmud Ağa'nın yaptırdığı bir mescit bulunmaktadır. 1271'de yapılan mescidin, Mahmud Ağa'nın Patrona Halil Ayaklanması'nda ölümünden sonra yıkıldığı tahmin edilmektedir. *Hadika*'daki tanımdan ilk mescidin çatılı veya manastır tonozlu olduğu anlaşılmaktadır.

Mescidin, Mahmud Ağa'nın damadı Kethüda Divit-dar Mehmed Ağa tarafından 1740'lı yıllarda (1163/1749) yenilendiği tahmin edilmektedir. *Hadika*, Mehmed Kethüda'nın yaptırdığı caminin "bir şerefeli minare ve mahfel-i hümayun ve bütün levazımatıyla sahil-i hümayun ve bütün levazımatıyla sahil-i deryada inşa" edildiğini belirtmektedir. 1810'lardaki bostancıbaşı defterlerinde de eser, "Mehmed Kethüda Cami-i Şerifi" olarak kayıtlıdır.

Caminin içinden kubbe görünümü

Günümüzdeki cami, Sultan Abdülmecid tarafından 1853'te yaptırılmıştır. Yapının giriş kapısı üzerindeki kitabede Sultan Abdülmecid'in tuğrası ile birlikte caminin bitirilişini belirten bu tarih yazılıdır. Caminin mimarı Nigoğos Balyan'dır. 1894 depreminde önemli ölçüde zarar gören caminin minarelerinin petek ve külah bölümleri yeniden yapılmıştır. Ortaköy Camii, statik açıdan oldukça narin yapılardandır. 1862, 1866 ve 1909 onarımlarından sonra Ortaköy Deresi yatağı üzerindeki temellerinin yeterli stabiliteye sahip olmadığı ve yapının göçmek üzere olduğu anlaşıldığından cami 1960'larda önemli bir onarımdan geçmiştir. 20 metre derinlikteki sağlam zeminde inşa edilen fore kazıklarla temelin takviyesine girişilmiş, Vakıflar Genel Müdürlüğü'nün yürüttüğü önemli bir restorasyon projesi olarak bilinen bu çalışmalarda 64 fore kazık cami beden duvarları boyunca karşılıklı olarak kullanılmış, 80 ton çimento şerbeti enjekte edilerek zemin takviye edilmiştir. Yapının duvar araları oyularak içinden demir putreller geçirilmiş, askıya alınan kubbe sökülerek yerine özgün kubbe formunu elde etmek üzere biri içeride diğeri dışarıda iki ince betonarme kabuk yapılıp yenilenmiştir.

Ortaköy Camii bu büyük restorasyondan sonra 1984'te büyük bir yangın geçirince yeniden onarılmıştır. Özetle caminin özgün parçaları büyük ölçüde yenilenip değiştirilse de, Boğaziçi girişindeki eşsiz konumuyla İstanbul'un mimari mirasının yapıtaşlarından biri olmayı sürdürmektedir. Cami, 19. yüzyıl selatin camilerinin tümünde olduğu gibi iki bölümden, asıl ibadet mekânı olan harim bölümü ile girişin önünde yer alan hünkâr kasrından oluşmaktadır. Her iki bölümün meydana getirdiği kompozisyon kuzey-güney aksına göre, batıdaki hünkâr girişi dışında simetriktir. İki ayrı bölümün birlikte yer aldığı doğu ve batı cephelerinde de harim ve hünkâr bölümleri ölçü olarak birbirine eşittir. Bu, Ortaköy Camii'ni diğerlerinden ayıran ve iki bölümün entegrasyonunu veya eşitliğini ifade eden bir ölçülendirmedir.

Yapıda cami görevlilerine ait lojmanlar, aptes alma yerleri, tuvaletler mevcuttur. Bir imam ve iki müezzinin görev yaptığı caminin vakit namazlarında 80-90, cuma ve bayram namazlarında 1000-1200 kişilik bir cemaati vardır. Bayanların namaz kılmaları için de bir bölüm yer almaktadır.

68

PERTEVNİYAL VALİDE SULTAN CAMİİ

~

Fatih'te, Aksaray semtindedir. Eser, Sultan II. Mahmud'un eşi ve Sultan Abdülaziz'in annesi olan Pertevniyal Valide Sultan tarafından yaptırılmıştır. Aynı yerde harap halde bulunan Hacı Mustafa Efendi Camii yıktırılarak onun yerine Pertevniyal Valide Sultan Camii h. 1288 yılında (1871) inşa edilmiştir.

Planları Sarkis ve Hagop Balyan tarafından çizilen caminin mimarı bazı yazılı kaynaklarda Sarkis Balyan, bazılarında ise İtalyan asıllı Mimar Montani Efendi olarak geçmektedir. Devlet ileri gelenleri ve din bilginlerinin katıldığı bir törenle caminin temeli atılırken, Pertevniyal Sultan da meydanı gören bir evin penceresinden bu töreni izlemiştir.

İki minaresi de tek şerefeli olan cami, Dolmabahçe Camii'yle kıyaslandığında, her iki yönden de daha geniştir. Camiye ayrı bir güzellik ve zenginlik katan neogotik yüzey bezemelere iç kısımda da rastlamak mükündür. Altın yaldızla parlatılan mavi rengin egemen olduğu kalem işi süslemeler, iç mekânı baştan sona süslemektedir. Caminin meydana bakan avlu kapısı alışılmadık şekilde göz kamaştırıcı olup, Osmanlı taş oyma sanatının nadide eserlerindendir.

Planları Sarkis ve Hagop Balyan tarafından çizilen caminin yapımında, Türk mimarisi ile gotik ve Hint mimarisi dahil birbirinden farklı mimari üsluplardan yararlanılmıştır.

Caminin yapımında, Türk mimarisi ile gotik ve Hint mimarisi dahil birbirinden farklı mimari üsluplardan yararlanılmıştır. Kubbe, duvarlarının üstündeki yüksek bir kasnağa oturtulmuştur. Yapının kuzeyindeki hünkâr mahfili, caminin görünümüne hâkimdir. Kare planlı bu caminin dört köşesinde Hint mimarisini andıran kuleler yer almaktadır. Yapının mermer mihrabı sade, mukarnas dolgulu ve yedi sıra sarkıtlıdır. Aynı sadelikteki minberin yan tarafında iştiridye motifi yer almaktadır. Caminin kürsüsü sekiz köşeli ve oymalı olup, mermerdendir. Eserin iç alanı yaklaşık 1.000 metrekare, avlu ve bahçesinin alanı ise 3.000 metrekaredir. Caminin avlusuna üç ayrı yöndeki üç kapıdan girilmektedir. Mezarlığı, musalla taşı ve son cemaat yeri bulunan bu caminin pencereleri ile kubbe arasındaki kasnağında kabartmalı olarak "Mülk Suresi" yazılmıştır. 1956-1959 yılları arasındaki Aksaray Meydanı düzenlenmesi esnasında, sebil gibi camiye ait bazı unsurlar kaldırılmış veya yeri değiştirilmiştir.

Caminin çevresinde çeşme ve kütüphane ile Pertevniyal Sultan'ın kendisi için yaptırdığı türbe yer almaktadır. Kütüphanedeki eserler, Süleymaniye Kütüphanesi'ne taşınmıştır. Caminin kâhyası Hüseyin Bey, cami masrafı olarak 7 bin 961 kese 396 kuruş 10 para harcamıştır.

69

RUM MEHMED PAŞA CAMİİ

~

Üsküdar sahilindeki Şemsi Paşa Camii'nin de bulunduğu Şemsi Paşa Caddesi'yle Eşref Sokağı üzerindedir.

Marmara Denizi ile Boğaz'a hâkim bir tepe üzerinde bulunan Rum Mehmed Paşa Camii'nin 16. yüzyılda inşa edilen medresesi, hamamı ve imareti yok olmuştur. Kitabesi günümüze ulaşmayan külliyenin yalnızca camisi ile türbesi ayaktadır.

Rum Mehmed Paşa, Fatih Sultan Mehmed devri sadrazamlarından olup, Enderun'da eğitim almıştır. Enderun'dan sonra beylerbeyliği, serdarlık ve vezirlik görevlerinde bulunan Rum Mehmed Paşa, 1466 yılında Mahmud Paşa'nın yerine sadrazam olmuş, 1470 yılında da azledilerek idam edilmiştir.

Caminin çevresinde bir zamanlar Şerefâbâd Kasrı, Adliye Camii ve karakolu, II. Sultan Mahmud Çeşmesi, Abdülaziz Efendi Namazgâhı, Ümmü Gülsüm Sultan Çeşmesi ve Harbiye Nazırı Mahmud Şevket Paşa Konağı bulunuyordu. Cami avlusuna, Medrese Kapısı ismi verilen ve üzerinde ahşap meşruta binası olan bir kapıdan basamakla çıkılarak girilmektedir.

Türbe, camiyle birlikte Rum Mehmed Paşa'nın sağlığında yapılmıştır. Klasik Osmanlı türbe mimarisindeki bu yapı düzgün kesme taştan sekizgen planlı olarak inşa edilmiştir. Caminin mihrap duvarı tarafında, köşede bulunan türbenin üzeri kasnaksız, duvarlar üzerine oturan bir kubbeyle örtülmüştür. Türbenin üstte sekiz, altta da yedi penceresi bulunmaktadır. Bunlardan alt sıra pencereler dikdörtgen söveli, üst sıra pencereler de sivri kemerlidir.

Türbenin içerisi bezeme yönünden son derece sadedir; yalnızca 19. yüzyıl sonlarında onarıldığını gösteren geç devir kalem işleri bulunmaktadır.

Türbede Rum Mehmed Paşa ile Nazır Paşazade Mehmed Efendi, Nazır Hançerli Ayşe Sultan, paşanın kızları Yığımnaz Hanım (1502) ile Aynülhayat Hanım (1507) ve paşanın oğluna ait olmak üzere altı mezar vardır. Türbenin çevresinde ise bir hazire yer almaktadır.

Marmara Denizi ile Boğaz'a hâkim bir tepe üzerinde bulunan Rum Mehmed Paşa Camii'nin çevresinde bir zamanlar Şerefâbâd Kasrı, Adliye Camii ve karakolu, II. Sultan Mahmud Çeşmesi, Abdülaziz Efendi Namazgâhı, Ümmü Gülsüm Sultan Çeşmesi ve Harbiye Nazırı Mahmud Şevket Paşa Konağı bulunuyordu.

70

RÜSTEM PAŞA CAMİİ

~

Eminönü'nde, Hasırcılar Çarşısı'ndadır. Eser, Damat Rüstem Paşa tarafından 1561-1563 yılları arasında Mimar Sinan'a inşa ettirilmiştir. Banisi döneminin etkili devlet ricalinden ve Kanuni Sultan Süleyman'ın damadı olan Sadrazam Rüstem Paşa, imparatorluğun birçok yerinde yaptırdığı binalarla da tanınmıştır. Bu cami, Mimar Sinan'ın ünlü eserleri arasında yer almaktadır.

Caminin bulunduğu yer, Roma döneminden günümüze şehrin en işlek mekânlarından biri konumundadır. İstanbul'un siluetini oluşturan en önemli yapılardan biri olan Rüstem Paşa Camii, tek minaresiyle etrafını çevirmiş sıra dükkânların ve depoların üzerinde yükselen merkezi planlı bir yapıdır. Yüksek bir platform üzerine oturtulmuş ve kıyı siluetine egemen konumdaki cami, şehrin en aktif ticari merkezinin arka sırtlarında yükselen Süleymaniye Camii'yle birlikte eşsiz bir manzara oluşturmaktadır.

Caminin yerinde daha önce Hacı Halil Efendi Mescidi bulunmaktaydı. Bu mescidin yeri çukurda kaldığından, Mimar Sinan mescidin altına dükkânlar yaparak bir subasman meydana getirmiş, Rüstem Paşa Camii de bu mescidin yerine kurulmuştur.

Dükkânların üzerinde yer alan camiye iki yandaki döner merdivenlerle ulaşılmaktadır. Caminin avlusu küçük bir terastan oluşmakta, bu avluyu beş küçük kubbe örtmektedir. Merkezi kubbe ise, karşılıklı dört duvar payesi ile yanlardaki ikişer sütun üzerinde yükselmektedir. Kare yapının köşeleri, kubbeyi destekleyen dört yarım kubbeyle çevrilidir. İki yan taraf sütunların arkasında galeri gibidir. Giriş cephesi ile küçük fakat çarpıcı iç mekân duvarları, devrinin en iyi İznik çini örnekleriyle süslüdür. Çiniler geometrik şekiller, yaprak ve çiçek motifleriyle dekorlu olup, renkli çiçek bahçesini anımsatmaktadır. Bir rölyef gibi kabarık mercan kırmızısı rengi, 16. yüzyılda kısa bir süre kullanılmıştır.

Rüstem Paşa Camii'nde de sekiz dayanaklı kubbe sistemi uygulanmıştır. Ancak bu yapı, mimarisinden çok çinilerinin kalitesi ve zenginliğiyle tanınmaktadır. Yapının iç duvarlarının tümü sıraltı tekniğindeki çinilerle süslenmiştir. Bu çinilerde lale ve bahar açmış meyve ağacı motifleri dikkat çekmektedir.

Rüstem Paşa Camii (1561), 16. yüzyılın ikinci yarısında çini sanatına kaynak olacak bütün desenlerin sergi-

Rüstem Paşa Camii'nin kubbe eteklerine kadar her tarafı çinilerle kaplıdır. Özellikle lale motifli çiniler, Osmanlı çini sanatının en başarılı örneklerinden sayılmaktadır.

▲

Rüstem Paşa Camii'nin mihrabı ve minberi

lendiği, mihrapların, duvarların, payelerin tümüyle çinilerle kaplandığı gösterişli bir yapıdır. Ayrıca İstanbul Kadırga'daki Sokullu Mehmed Paşa Camii (1571), çini süslemelerin kubbenin pandantifli geçiş kısmında, pencere alınlıklarında, mermer mihrabın çevresindeki duvarda ve minberin külahında yer almasıyla mimariyi ezmeyen başarılı bir düzenlemeye sahiptir. Bunun yanında, İstanbul Piyale Paşa Camii'nin (1573) çinili mihrabının süslemeleri, dönemin kumaş desenleriyle benzerlik gösterir.

1666 yangınında ve 1776 depreminde hasar gören Rüstem Paşa Camii, Osmanlı mimari tarihinde olağanüstü güzellikteki bu değerli çinilerin ne yazık ki bir kısmı çalınmıştır.

Rüstem Paşa Camii, ABD'nin önde gelen dergilerinden *Newsweek* tarafından 2007 yılında Avrupa'nın en güzel tarihi camisi seçilmiştir.

Seçimi yapan *Newsweek* muhabiri Rana Foroohar dergideki yazısında, Rüstem Paşa Camii'ni "Avrupa kıtasında bulunan Osmanlı'dan kalma cami Ayasofya ve Sultan Ahmed'den daha az turistik ve küçük, ama bence çok daha güzel ve huzurlu. Giriş özellikle çok görkemli değil. Ama bir kez içeri girdiniz mi o güne kadarki en muhteşem İznik çinileri ve mozaiklerini bulabilirsiniz. Sanki çinilerle bezeli bir bahçe gibi, tefekkür ve sükunet için mükemmel bir yer. Mısır Çarşısı'na çok yakın olması da önemli. Avrupa'da olduğunuza inanamayacaksınız" şeklinde ifade etmiştir.

Caminin çevresi, 20. yüzyılın başında çok sayıda irili ufaklı hanlarla dolmuş, 1950'lerden sonra beton yapılarla kuşatılmış, caminin cümle kapısının bulunduğu duvarın etrafı ise gecekondu tarzındaki dükkânlarla sarılmıştır.

Caminin çinilerle kaplı duvarından bir görünüm
▼

71

SA'DÂBÂD CAMİİ

~

Eser, Kâğıthane Camii olarak da bilinir. Buradaki ilk cami, 1722 yılında Lale Devri'nde, Sa'dâbâd Sarayı'yla beraber inşa edilmiştir. III. Ahmed'in ibadete açtığı bu ilk cami hakkında yeterli bilgi bulunmamaktadır. Cami, Sultan III. Selim ve II. Mahmud tarafından yaptırılan tamirlerle neredeyse yeni baştan yaptırılmıştır.

Sultan Abdülaziz, harap haldeki Sa'dâbâd Sarayı'yla camiyi 1863'te yeniden inşa ettirmiştir. Aziziye Camii olarak da bilinen bu cami ile sarayın mimarlığını, başmimarları Sarkis ile Agop Balyan üstlenmiştir.

Caminin girişinde Sultan Abdülaziz'in h. 1279 (1863) tarihli tuğrası, tuğranın altında ise Ser Kenan Abdülfettah Efendi'nin hattı ile şair Kamil'in on mısralık manzumesi yer almaktadır.

Sa'dâbâd Camii 19. yüzyılda Osmanlı mimarisine hâkim olan dönemin Batı mimari etkilerini yansıtmaktadır. Ana hatlarıyla simetrik bir düzenlemeye sahip olan yapının kütlesi, harim bölümün kuzeyinde yer alan hünkâr mahfili ve konut bölümleri ile batı cephesindeki minareden oluşmaktadır. Harim bölümünün üzeri kubbeyle örtülüdür. Öteki bölümlerin üzerinde ise kırma çatı bulunmaktadır.

Çift sıra pencereye ve muntazam kesme taştan duvarlara sahip yapının üzerinde ahşap bir kubbe vardır. Kurşun kaplı kubbenin içine süsleme olarak çiçek desenleri yapılmıştır. Yakın tarihli sayılabilecek bu caminin ne yazık ki sadece mihraptaki süslemeleri günümüze ulaşmıştır.

Kare planlı Sa'dâbâd Camii'nin minaresinde her biri yüz taş basamaklı iki ayrı merdiven yer almakta, birine caminin içinden, diğerine ise bahçeden girilmektedir. Mimar Sinan'ın ustalık eseri olan Edirne'deki Selimiye Camii'nde olduğu gibi, burada da iki kişi aynı anda birbirini görmeden şerefeye çıkabilmektedir. Burasının zarif sütunları ve sütun başlarıyla yapılmış gölgeliği, 1940'larda tamir edilirken sökülmüştür.

İstanbul'da 1939'da yaşanan depremde, minare alemi düşerek kubbeyi delmiştir. Sonraki yıllarda ise cami adeta yağmalanmış; kapı ve pencere kanatları ile kandilleri, kristal avizesi, kubbe ve kurşunları sökülüp alınarak camları kırılmıştır.

Bir namazgâhın da içinde yer aldığı bahçedeki mermer süs havuzu ise 1974'lerde yok edilmiştir. Şerefe ile havuzundan geriye kalan parçaları 1997'de korumaya alınan ve her bir tarafı perişan vaziyette olan cami, 1997 yılı sonunda Sa'dâbâd Projesi ile İstanbul Büyükşehir Belediyesi tarafından restore edilmeye başlanarak, 1998 Kasım'ında yeniden ibadete açılmıştır.

Kâğıthane Camii'nin biri Hünkâr, diğeri Vezir adlı iki iskelesi, derenin cami önünde kıvrıldığı yerdedir. Bir zamanlar yok edilen bu iki iskele, 1998'deki yenileme çalışmasında tekrar yapılmıştır.

SELMAN AĞA CAMİİ

~

Üsküdar Selman-ı Pak Caddesi ile Hakimiyet-i Milliye Caddesi'nin birleştiği yerde ve birinci caddenin sağ köşesindedir.

Selman-ı Pak Caddesi'ne açılan ve 1965 yılında yaptırılan kesme taş kemerli avlu kapısının sağ tarafında, üç yüzlü meşhur Horhor Çeşmesi ile cami banisi Selman Ağa'nın H. 914 tarihli kabri bulunmaktadır. Babüssaade ağası olan Selman Ağa, Sultan II. Bayezid'in fermanıyla idam edilmiştir. Kare planlı cami alt pencerelerden ışık alır. Üst pencereler vitraylıdır. Ahşap çatısının üzeri kurşun kaplı olan caminin sağ taraftaki minaresinin kaidesi kesme taştan olup, üst kısmı ince tuğladandır. Minare son tamirde onarılmıştır.

Selman Ağa'nın kabri önünde caddeye bakan bir hacet penceresi bulunmaktadır. Caddeye Selman-ı Pak denmesi de ağanın isminden dolayıdır. Selman Ağa'nın Kazancılar'da, Ali Paşa Camii civarında bir "mekteb-i âlî"si vardı. Mabet, 1313 (1895) tarihinde Galib Paşa'nın Evkaf Nezareti döneminde tamir edilmiştir.

Kare planlı cami alt üst pencerelerden ışık alır. Üsttekiler vitraylıdır.

SERHAZİN SÜLEYMAN AĞA CAMİİ

~

Baltalimanı'ndaki bu cami, Baltalimanı Camii olarak da bilinmektedir. Baltaoğlu Süleyman Bey adına yapılan caminin adını alan semtin antik dönemdeki adı ise Sinus Phaldalia'dır. Boyacıköy Emirgân Caddesi'nin üzerinde yer alan ve deniz kenarında olan cami, aynı zamanda Baltalimanı Deresi'ne de komşu durumdadır.

Fatih Sultan Mehmed'in İstanbul'u fethinde önemli görevler üstlenen Kaptanıderya Baltaoğlu Süleyman Bey, 70 parça kadırgayı Baltalimanı Deresi'nden karaya çıkartmış, gemilerin bir kısmını bugünkü Fenerkapı'dan, bir kısmını da bugünkü Sütlüce'den Haliç'e indirmeyi başarmıştı.

Osmanlı devrinde Baltalimanı uzun bir süre liman olarak kullanılmıştır. Osmanlı donanmasının bir bölümü, o dönem yine Sarıyer'in doğal limanı olan Büyük Liman'da bekletilirdi.

Baltaoğlu Süleyman Bey, Paşmakçı Şücaeddin Efendi'ye kendi adıyla anılacak bu camiyi inşa ettirmiştir. Caminin mimarı olan Paşmakçı Şücaeddin Efendi'nin mezarı da mihrabın önünde yer almaktaydı. Ancak 1826'da Zahire Nazırı Arif Efendi tarafından yapılan tadilatta bu mezar yok edilmiştir. Caminin minberi ise, III. Ahmed'in "İmam-ı Sultani Hacı İmam" diye tanınan imamı Seyyid Mehmed Efendi tarafından yaptırılmıştır.

Serhazin Süleyman Ağa ya da kısaca Baltalimanı Camii denilen bu caminin namazgâh ve çeşmesi ise Hazerpare Ahmed Paşa tarafından yaptırılmıştır. 1648'deki bu inşa esnasında caminin bahçesine bir de kuyu açılmıştır.

Cami bugünkü görünümünü 1826-1827 yılları arasında Zahire Nazırı Arif Efendi tarafından yaptırılan tadilat sonrası almıştır. Caminin kuzey duvarında, mihrap ekseni üzerindeki on mısralık hatlı kitabede 1826 tarihi yazmaktadır.

Cami, dikdörtgen biçimli, klasik Osmanlı semt camilerine uygun tek minareli ve tek şerefeli bir yapıdır. Yol kotundan bakıldığında iki kat gibi gözükse de, aslında üç katlı bir ibadethanedir.

Serhazin Süleyman Ağa Camii, dikdörtgen biçimli, klasik Osmanlı semt camilerine uygun, tek minareli ve tek şerefeli bir yapıdır.

74

SİLAHDAR ABDURRAHMAN AĞA CAMİİ

~

Üsküdar'dan Kuzguncuk yönüne devam eden Paşalimanı Caddesi'ndedir. Paşalimanı Camii olarak da bilinen Silahdar Abdurrahman Ağa Camii, 1766'da III. Mustafa'nın silahtarı tarafından yaptırılmıştır.

Duvarları kesme küfeki taşından yapılan ahşap çatılı ve kâgir minareli caminin son cemaat mahalli de ahşaptır. Fevkani caminin minare kaidesinin güneybatı yüzünde h. 1180 (1766) tarihli bir güneş saati yer almaktadır.

Caminin çok yakınındaki Hüseyin Avni Paşa Çeşmesi'nin üst tarafında bir zamanlar tesis edilen Bektaşi tekkesinden günümüzde hiçbir iz kalmamıştır. Hünkâr mahfiline ait taş basamakları 1965 tarihinde kaldırılan cami, en son 1995 yılında tamir ettirilmiştir.

İçi, tavanı ve döşemesi ahşap olan fevkani caminin minare kaidesinin güneybatı yüzünde, h. 1180 (1766) tarihli bir güneş saati yer almaktadır.

Mimar Sinan yapımı
olan Sinan Paşa
Camii, günümüze
ulaşmayan bir çifte
hamam, külliye
ve daha sonra
yaptırılan bir sıbyan
mektebinden
oluşmaktadır.

SİNAN PAŞA CAMİİ

~

Beşiktaş'ta, Barbaros Bulvarı ile Beşiktaş Caddesi'nin birleştiği yerde, Barbaros Hayreddin Paşa Türbesi ile anıtının bulunduğu parkın karşısındadır. Caminin banisi, Kanuni Sultan Süleyman'ın damadı Sadrazam Rüstem Paşa'nın kardeşi olan, 1548-1550 yılları arasında kaptanıderya görevinde bulunan ve 1553'te ölen Vezir Sinan Paşa'dır.

Toplam alanı 1.475 metrekare, cami iç alanı 575 metrekare olan ve yekpare mermerden dört köşe şadırvanı bulunan bir külliye niteliğindedir. Mimar Sinan yapımı olan bu eser, günümüze ulaşmayan çifte hamam, külliye ve daha sonra yaptırılan bir sıbyan mektebinden oluşmaktadır. Kitabesine göre cami, Sinan Paşa'nın ölümünden sonra, 1555 yılında bitirilmiştir.

Caminin üstünü bir büyük kubbe kapamakta, bunu sağ ve solunda yer alan ikişer yarım kubbe desteklemektedir. Ayrıca kapı tarafında beş kubbe daha bulunan caminin ikinci ve üçüncü kat pencerelerinin camları renklidir. İç süslemeleri ince kalem işi olan avlusunu, son cemaat yeri ile birlikte yirmi iki mermer sütunlu, kubbesiz ve kiremitle örtülü bir kısım çevirmektedir. Duvarları kesme taş ve kırmızı tuğla karışımından olan yapının tek şerefeli bir minaresi vardır. Hünkâr mahfili yıkılan caminin iki kapılı bahçesinin ortasında dört mermer sütunlu bir şadırvan yer almaktadır. Cami ve avlusu değişik zamanlarda yapılan müdahalelerle özgünlüğünü yitirmiştir. Mabedin son cemaat yerini medrese çevrelemektedir.

SOFA CAMİİ

~

19. yüzyıl ortasında
neoklasik üslupta
inşa edilen Sofa
Camii, Topkapı
Sarayı'nda
günümüzde de
ibadete açık olan tek
camidir.

Topkapı Sarayı'nda Soffa-i Hümayun denilen dördüncü avlu, 16. yüzyıldan kalan bir mescidin olduğu yerdedir.

Revan ve Bağdat Köşkü ile Hekimbaşı Odası'nın da bulunduğu Soffa-i Hümayun avlusunda yer alan Sofa Camii, II. Mahmud tarafından Sofa Ocağı denilen koğuş halkının kullanımı için yaptırılmıştır.

19. yüzyıl ortasında neoklasik üslupta inşa edilen Sofa Camii, Topkapı Sarayı'nda günümüzde de ibadete açık olan tek camidir. Saraydaki diğer cami ve mescitler arasında Beşir Ağa Camii, Ağalar Mescidi, Harem Mescidi, Aşçılar Mescidi ve Karaağalar Mescidi bulunmaktadır.

Caminin bitişiğinde Hekimbaşı Dairesi yer almaktadır. Burası, başhekim sorumluluğunda bir ecza deposu ve dairesi olarak kullanılmaktaydı. Sultanların sağlığından sorumlu hekimbaşıların denetiminde olan bu kuleden günümüze çok sayıda saray ve ilaç şişeleri kalmıştır. Bahçenin Marmara yönündeki mermer terasına ise, 1850'lerin başlarında Mecidiye Köşkü yapılmıştır.

✓ SOKULLU (ŞEHİT) MEHMED PAŞA CAMİİ

~

Kadırga'da, Şehit Mehmet Paşa Yokuşu'ndaki cami ile külliye, Mimar Sinan'ın en güzel eserlerinden biridir. Üç padişaha sadrazamlık yapan Sokullu Mehmed Paşa adına, 1571'de karısı tarafından yaptırılmıştır.

Dik yokuşlardan oluşan sokakların arasında bulunan ve Bizans zamanında Aya Anastasia Kilisesi'nin bulunduğu eğimli arsada ortaya çıkan zorluktan Mimar Sinan plan olarak yararlanmış, buradan üç ayrı sokak ve üç farklı kottaki girişiyle pek rastlanmayan bir zenginlik yaratmıştır.

Mermer döşemeli avluya üç dış kapıdan girilmekte, caminin iç avlusunda tavan örtüsü kubbeli olan on altı oda ve bir dershaneden meydana gelen medrese bulunmaktadır. Avlunun ortasında ise avluyla bütünleşmiş kubbeli mermer bir şadırvan yer almaktadır.

Caminin avlusunda, son cemaat yerindeki platform, sağlı sollu uzanmaktadır. Giriş sahını sağ ve soldan ikinci kata çıkmakta, camiye orta büyüklükteki giriş kapısından girilmektedir. Camide, İznik çinileri ve özgün kalem işleri bulunmaktadır.

Caminin 15,30x18,80 ölçülerindeki ibadet mekânı, altı ayak üzerine oturtulmuş 13 metre çapındaki altıgen kubbeyle örtülmüştür. Yapının prizmatik mukarnas oymalı mihrap ve minberi, dönemin mermer işçiliğinin güzel örneklerindendir. Özellikle minber külahının çini kaplamaları ve mihrabın iki yanındaki çini panolar, görsel bütünlüğe ayrı bir lezzet katmıştır. Mihrap çevresinde devasa büyüklükte iki mum ve mihrap üzerinde hat sanatlı çini süsleme yer almaktadır. Caminin akustik ve aydınlatma sistemi ise mükemmeldir.

Camide doksandan fazla pencere bulunmakta, bu pencereler yan cephede ve kasnakta yoğunlaşmaktadır. Bu caminin diğer bir özelliği ise, dört küçük Hacer-ül Esved parçasının giriş mahfilinin altına, mihraba ve diğer iki parçasının da minber külahı ve kapısına konmuş olmasıdır. Caminin kesme taştan inşa edilmiş tek şerefeli minaresinin üzerinde, Mimar Sinan'ın eserlerinde kullandığı dikey hatlar mevcuttur.

Tek minareli ve tek kubbeli olan eser, Sokullu Mehmed Paşa'nın adını taşıyan İstanbul'daki iki camiden biridir. Diğer cami ise Azapkapı'dadır.

Caminin kuzey tarafında şerefeden itibaren üstü yıkılmış eski bir tuğla minare vardır. Medrese revağından avluya Sultanahmet tarafındaki avlu kapısından ve bu kapının karşı tarafındaki kapı ile kıbleye bakan merdivenli kapıdan girilmektedir. Caminin ilk iki kapısının girişinde mezarlık kısmı bulunmaktadır.

Bu cami 1571 yılında, Sokullu Mehmed Paşa adına karısı tarafından Mimar Sinan'a yaptırılmıştır.

78

SOKULLU MEHMED PAŞA CAMİİ

~

Unkapanı Köprüsü'nün Galata yönündeki ayağındadır. Mimar Sinan'ın eserlerinden olan cami, üç padişaha sadrazamlık yapan Sokullu Mehmed Paşa adına, 1571'de karısı tarafından yaptırılmıştır. Cami Balkan ve I. Dünya savaşları esnasında tamir edilmeye başlanmış, daha sonra onarıma ara verilmiş, 1938'e kadar bakımsız ve harap bir şekilde kalmıştır. Bu esnada yapının sanat eseri niteliğindeki iç süslemelerinin büyük kısmı yok olmuş ve çinileri çalınmıştır. Tamiratı yapılan cami, 1941'de yeniden ibadete açılmıştır.

Edirne'deki Selimiye Camii'nin küçültülmüş bir modeli olan caminin iç kısmı kare şeklindedir. Üzerini örten büyük, mimari açıdan çok ilginç, tek şerefeli bir minaresi bulunmaktadır. Caminin kapı ve pencerelerindeki ahşap işçiliği çok dikkat çekicidir. Mermer minberi ise türünün en güzel örneklerindendir.

Edirne'deki Selimiye Camii'nin küçültülmüş bir modeli olan cami ilginç ve bazı hoş estetik yanları olan bir yapıdır.

Azalı-Kapou (vieux pont.)

Sokullu Mehmed Paşa Camii, ilginç ve bazı hoş estetik yanları olan bir yapıdır. Altının dükkânlı olması nedeniyle değişik bir girişi vardır ve yüksekte kalan son cemaat yerinin üstü ile çevresi kapalıdır. Cami, sonraki Selimiye için yapılmış deneylerden biri olduğu izlenimini vermektedir. Sekiz dayanaklı bir plana göre yapılan caminin kubbe-sinin çevresinde destek kuleleri ile sırasıyla biri büyük biri küçük sekiz yarım kubbesi bulunmaktadır. Caminin mihrap kısmı arkada bir çıkıntı yapmaktadır. Yapının minaresi camilere uygun olmayacak şekilde soldadır; bunun nedeni ise gerekli yerin denize fazla yakın olmasıdır.

Bağımsız bir cami gibi yapılmış görünmesine rağmen aslında bu eser, şu an mevcut olmayan bir mektep ile iki çeşmenin dahil olduğu bir külliye yapısı içerisindeydi. İç mekân kurgusu ve planlaması Selimiye'yi andıran caminin minaresi, olağandışı biçim-de, yapıdan ayrı inşa edilmiştir.

79

SÜLEYMANİYE CAMİİ

~

Fatih'te, adını verdiği semtteki tepenin üzerindedir. Süleymaniye Camii, bir külliye olarak Kanuni Sultan Süleyman adına, 1550-1557 yılları arasında Mimar Sinan tarafından inşa edilmiştir. Mimar Sinan'ın "kalfalık eserim" dediği cami, klasik Osmanlı mimarisinin en önemli örneklerinden biridir.

Tarihi yarımadanın Haliç, Marmara, Topkapı Sarayı ve Boğaziçi'ni gören ortadaki en yüksek tepesinde olan külliye, geniş bir avlu içerisindeki caminin çevresinde yer alan yedi medrese ile darüşşifa, darülhadis, çeşme, darülkurra, darüzziyafe, imaret, hamam, tabhane, kütüphane ve dükkânların bulunduğu çarşıdan oluşmaktadır. İnşa ettiği her eserle Osmanlı mimarlığına olduğu kadar İstanbul'a da zenginlik katan Mimar Sinan'ın mütevazı türbesi de, eserin dış avlu duvarlarının karşısındadır.

Külliyenin ilk temel taşı, devrin büyük âlimi Şeyhülislam Ebussuud Efendi tarafından konulmuştur. Yapı topluluğu yedi yıllık bir sürede tamamlanmış, 7 Haziran 1557'de törenle açılmıştır. Külliyenin inşası için yaklaşık 59 milyon akçe sarf edilmiştir.

Süleymaniye Camii, Osmanlı Devleti'nin en görkemli günlerini yaşadığı çağda yapılmıştır. İstanbul panoramasının en önemli öğelerinden olan yapı topluluğu yalnızca bir ibadethane değil, külliyenin bünyesindeki sosyal donatıları ve çevresindeki mahalleyle birlikte günümüzde bile çok önemli sosyal ve kültürel bir merkezdir.

İstanbul'da başka herhangi bir külliyeye benzemeyen yapı topluluğunun cami avlusuna, üç katlı bir mermer kapıdan girilmektedir. Avluda fıskiyeli bir havuz yer alır. Caminin dört minaresi, bu avlunun dört köşesindedir. Dört minare, Kanuni Sultan Süleyman'ın İstanbul'un fethinden sonraki Osmanlı İmparatorluğunun dördüncü hükümdarı olduğunu gösterir. Minarelerin şerefelerinin toplam sayısı da Kanuni Sultan

Süleyman'ın Osmanlı Devleti'nin kurucusu olan Sultan Osman Gazi'den sonra onuncu padişah olduğunu belirtir. Cami ön kısmının iki yanındaki minarelerde ikişer ve avlunun sonundaki iki minarede üçer şerefe olup, dört minarede toplam on şerefe vardır. Alt kısımlarında sarkaç süslemeleri bulunan minarelerin birbirleriyle ve kubbeyle olan orantıları, görünüm ve estetik açıdan mimarinin en güzel örneklerinden biridir.

Caminin ibadet yerinin üzeri iki yarım kubbe, iki çeyrek kubbe ve on üç küçük kubbenin desteklediği merkezi bir kubbeyle örtülüdür. Bu kubbe dört büyük payeye, kubbe kemerleri ise dört büyük granit sütuna dayanmaktadır. Kubbe 53 metre yüksekliğinde, 27,25 metre çapında olup, kasnağındaki 32 pencereyle aydınlatılmıştır. Ayrıca içerideki yankıyı kuvvetlendirmek için kubbenin içerisine ve köşelere, ağzı iç tarafa açık gelecek şekilde 64 küp yerleştirilmiş, böylece mükemmel bir akustik meydana getirilmiştir.

Cami içerisinde mükemmel bir hava dolaşım sistemi oluşturulmuş, böylece giriş kapısı üzerindeki boşlukta aydınlatma için kullanılan 4 bin mumun isi toplanmıştır. Bu islerden hat sanatında kullanılan mürekkep elde edilmiştir. İçerideki yazılar devrinin önde gelen hattatlarından Ahmed Karahisari ile öğrencisi Hasan Çelebi'nin eserleridir.

Cami, yaklaşık 3.500 metrekarelik bir alana yayılmış, içerisi 238 pencereyle aydınlatılmıştır. Caminin mermer minberi ve mihrabı, Osmanlı oymacılık sanatının en güzel örneklerindendir. Ayrıca ahşap oyma vaiz kürsüsü, ahşap üzerine sedef kakma pencere kapakları ve kapıları ile pencere vitrayları caminin diğer sanat eserleri arasındadır.

Külliyenin medreseleri caminin doğu ve batı yönlerinde, dış avlu duvarlarına paralel olarak uzanır. Batı yönünde evvel medresesi, sani medresesi, sıbyan mektebi ve tıp medresesi; doğu yönünde ise rabi medresesi ve salis medresesi yer alır. Darülhadis medresesi ise caminin kıble yönünde ve İstanbul Üniversitesi bahçe duvarına paralel olarak uzanır. Rabi medresesi ile darülhadis medresesinin kesiştikleri yerde ise külliyenin hamamı vardır. Daha önce atölye olarak da kullanılan hamam, 1980 yılında restore edilmiştir. Tabhane, darüzziyafe, imaret ve akıl hastalarının tedavi edildiği bimarhane kuzeybatıda, kıbleye paraleldir.

Caminin kıble yönündeki haziresinde, Kanuni Sultan Süleyman ve hanımı Hürrem Sultan'a ait iki türbenin yanı sıra bir türbedar odası vardır. Kanuni'ye ait türbede, Sultan II. Ahmed, eşi Rabia Sultan, kızı Mihrimah Sultan, Asiye Sultan, Sultan II. Süleyman ve annesi Saliha Dilaşub Sultan gömülü-

Süleymaniye Camii, içinde, yağ lambalarından çıkan islerin tek bir noktada toplanmasını sağlayan bir hava akımı yaratacak şekilde inşa edilmiş ve bu isler mürekkep yapımında kullanılmıştır.

dür. Türbede Kabe'den getirilen Hacer-ül Esved taşından küçük bir parça da bulunmaktadır. Türbenin etrafındaki hazirede, Osmanlı tarihinin birçok ünlü kişisinin mezarları yer almaktadır. Bunlar arasında Sultan Abdülaziz'i tahttan indirenlerden Hüseyin Avni Paşa ve Kaptanıderya Ali Paşa, Sadrazam Ali Paşa, II. Mustafa'nın kızı Safiye Sultan, Maarif Nazırı Kemal Paşa'nın mezarları bulunmaktadır.

Caminin yazılarını Hattat Karahisari ve öğrencisi Hasan Çelebi yazmıştır. Bir rivayete göre, Hattat Karahisari kubbeye Nur Suresi'ndeki "Allah gökleri aydınlatmıştır" ayetini yazarken işine o kadar yoğunlaşmış ki, son düzeltmelerini yaparken gözlerinin feri sönmüştür. Bu büyük insan, Süleymaniye Camii için canla başla çalışırken iki gözünü de camiye feda etmiş, kalan detay rötuşlarını öğrencisi Hasan Çelebi yapmıştır.

80

SULTAN AHMED CAMİİ

~

Tarihi yarımadada bulunan Sultan Ahmed Camii, 1609-1616 yılları arasında Sultan I. Ahmed tarafından Mimar Sedefkâr Mehmed Ağa'ya inşa ettirilmiştir. İnşa edildiği dönemlerde cami uzunca bir süre cuma günleri Topkapı Sarayı'ndakilerin ibadetlerini gerçekleştirdiği mekân olmuş, Ayasofya'nın 1934 yılında camiden müzeye dönüştürülmesiyle, bir kez daha İstanbul'un ana camisi konumuna gelmiştir.

Cami mavi, yeşil ve beyaz renkli İznik çinileriyle bezendiği, yarım kubbeleri ve büyük kubbesinin içi de 19. yüzyılda Ermeni tezyinat ustalarınca mavi ağırlıklı kalem işleriyle süslendiği için Avrupalılarca "Mavi Cami" olarak adlandırılır. Ancak 1980'lerde yapılan reStorasyonda mavi tezyinatın altından ilk dönem renkleri çıkartılan kubbe, özgün renklerine dönüştürülmüştür.

Sultan Ahmed Camii, külliyesiyle birlikte İstanbul'daki en büyük yapı toplu-
luklarından biridir. Bu külliye bir cami, medreseler, hünkâr kasrı, arasta, dükkânlar, ha-
mam, çeşme, sebiller, türbe, darüşşifa, sıbyan mektebi, imarethane ve kiralık odalardan
oluşmaktadır. Bu yapıların bazıları günümüze ulaşmamıştır.

Yapının mimari ve sanatsal açıdan dikkat çeken en önemli yanı, 20.000'i aşkın
İznik çinisiyle bezenmesidir. Bu çinilerin süslemelerinde sarı ve mavi tonlardaki gelenek-
sel bitki motifleri kullanılmış, süslemeler yapıyı sadece bir ibadethane olmaktan öteye
taşımıştır.

Caminin ibadethane bölümü 64x72 metre boyut-
larındadır. 43 metre yüksekliğindeki merkezi kubbesinin çapı
23,5 metredir. Caminin içi iki yüzden fazla renkli camla aydın-
latılmıştır. Eserin yazıları, Diyarbakırlı Seyyid Kasım Gubari
tarafından yazılmıştır. Çevresindeki yapılarla birlikte bir kül-
liye oluşturan Sultan Ahmed Camii, Türkiye'nin altı minareli
ilk camisidir.

Caminin içeriye açılan üç kapısından herhangi bi-
rinden girildiğinde dış görünüşü tamamlayan boyama, çini ve
vitray camlarının zengin ve renkli süslemeleriyle karşılaşılır. İç
mekân büyük bir bütündür; ana ve yan kubbeler geniş sivri ke-
merlerin dayandığı dört iri sütun üzerinde yükselir. Caminin
içini üç taraftan çevreleyen balkonların duvarları, yine İznik
çinileriyle süslüdür. Bunların yukarısı ve bütün kubbe içleri
ise boya işidir. Avlunun batı girişinde ise, demirden ağır bir
kordon bulunmaktadır. Avluya atıyla giren padişahın kordona
çarpmaması için kafasını eğmesini gerekiyordu. Bu uygulama,
padişahın bile camiye girerken kendisine çekidüzen vermesi
gerektiğini göstermek amaçlı sembolik bir eylemdi.

Her katında alçak düzeyde olmak üzere, caminin
içi İznik'te 50 farklı lale deseninden üretilmiş 20 binden faz-

la çiniyle bezenmiştir. Alt seviyelerdeki çiniler gelenekselken, galerideki çinilerin desenleri çiçekler, meyveler ve servilerle gösterişli ve ihtişamlıdır. Her çini başına ödenecek tutar sultanın emriyle düzenlense de çini fiyatı zamanla artmış, bunun sonucunda kullanılan çinilerin kalitesi azalmıştır. Arka balkon duvarındaki çiniler, 1574'teki yangında zarar gören Topkapı Sarayı'nın hareminden kalan ve tekrar kullanılan çinilerdir.

Sultan Ahmed Camii'nin Kuran'dan ayetler içeren hat dekorasyonlarının çoğu, zamanın en büyük hat sanatçısı Seyyid Kasım Gubari tarafından yapılmıştır. Yapıda pek çok büyük pencere olması, geniş ve ferah bir ortam hissi vermektedir. Pencerelerdeki renkli camlar, Venedik senyörü tarafından sultana hediye edilmiştir. Bu renkli camların çoğu, günümüzde sanatsal değeri olmayan modern versiyonlarıyla değiştirilmiştir.

Caminin içindeki en önemli unsur, ince işçilikle yapılmış mermer mihraptır. Mihrabın sağındaki zengin dekorlu minber, en kalabalık halinde bile herkesin imamı duyabileceği şekilde tasarlanmıştır. Kalem şeklindeki minarelerin dördü caminin köşelerinde olup, her birinin üç şerefesi vardır. Ön avludaki diğer iki minare ise ikişer şerefelidir.

Padişah için ayrılan bölüm, caminin güneydoğu köşesindedir. Bir platform, iki küçük dinlenme odası ve sundurmadan oluşan bu bölümden, padişahın güneydoğu üst galerideki locasına geçiş bulunmaktadır. Caminin hünkâr mahfili zümrüt, gül ve yaldızlarla süslenmiş ve yaldızlarla işlenmiş kendi mihrabı vardır.

Caminin avlusundan genel bir görünüm

81

ŞAH SULTAN CAMİİ

~

Eyüp'te, Silahtar Ağa Caddesi'ndedir. Şah Sultan Camii ve çevresi önceleri Sümbüli tekkesi olarak kullanılmaktaydı. 1555-1556 yıllarında Yavuz Sultan Selim'in kızı Şah Sultan tarafından buradaki yapılar topluluğunun yanına yaptırılan cami, Mimar Sinan eseridir. Caminin türbesinde, Şeyh Merkezzade Ahmed Efendi yatmaktadır.

Şah Sultan Sadrazam Lütfi Paşa'yla 1523'de evlenmiş, bu evlilik 19 yıl sürmüştür. Sümbüli tarikatına mensup olan Şah Sultan, Kocamustafapaşa'daki Sümbüliye Zaviyesi Şeyhi Merkez Musa Muslihiddin el-Germiyani'ye intisap etmiştir. Mimar Sinan'a yaptırdığı bu caminin kitabesinde şu mısralar yazmaktadır:

Bulub Hakka giden rahı-ider seyr-i ila İlahı

Bina kıldı kabul eyle ki Şah bint-i Selim Şah-ı

Didid-hafif ana tarih ve innel hayra Lillah

Hakka giden yolu bulan seyri İlAllah mertebesine ulaşır

Selim Şah kızı Şah Sultan bina kıldı kabul eyle

Melek ona tarihi söyledi muhakkak hayır Allah içindir.

Orijinalinde kubbeli inşa edilen cami 1766'da hasar görünce, eserin çatısı ahşaba tahvil edilmiştir.

1953 ve 1971 yıllarında yapılan tamirat sırasında caminin iki katlı ön bölümü yıktırılarak yerine şimdiki ahşap direkler konmuştur. 1980'lerdeki çevre düzenlemeleri sırasında camiye ait çeşme ile müştemilatı yok olmuştur. 2005 yılında cami ve çevresinde yapılan düzenlemeyle bugünkü şeklini almıştır.

Caminin denize bakan kısmındaki türbede Şeyh Ebul Feyz Efendi Merkezzade, Şeyh Ahmed Efendi el-Hac İbrahim Necati Efendi ve üç tarikat şeyhine ait kabirler bulunmaktadır. Camiden önce tekke olarak ön planda olan mabette, Merkez Efendi dahil 21 şeyh görev yapmıştır.

> *Yavuz Sultan Selim'in kızı Şah Sultan tarafından yaptırılan cami, Mimar Sinan eseridir.*

Camiyi yaptırdıktan altı yıl sonra vefat eden Şah Sultan, caminin önünde kendisi için yaptırdığı türbeye defnedilmiştir. Ancak türbe binası günümüze ulaşamamış, hazireye dönüştürülmüştür. Bu hazirede Şah Sultan'ın annesi Hafıza Sultan, kızları İsmihan ve Neslihan Sultan ile ağabeyi Kanuni'nin oğlu Şehzade Beayezid'i kızı Ayşe Sultan yatmaktadır.

Dikdörtgen planlı Şah Sultan Camii'nin duvarları taş ve tuğla karışımından oluşmaktadır. Kırma çatılı ve üçer pencereli yapının son cemaat yeri ahşap sütunludur. Caminin harimine tek kapıdan girilmektedir. Kıblenin karşısı mahfillidir.

82

ŞEB SEFA HATUN CAMİİ

~

Fatih'te, Atatürk Bulvarı üzerindeki İMÇ bloklarının bulunduğu taraftadır. Eser, Sultan I. Abdülhamid'in eşlerinden Fatma Şebsafa Hatun tarafından, ölen oğlu Şehzade Mehmed için 1787 yılında yaptırılmıştır.

Zeyrek Camii olarak da anılan cami, barok üslupta inşa edilmiştir. Yapımında kesme taş ve tuğla kullanılmıştır. Son cemaat yeri beş sütunlu olan camiye bir merdivenle çıkılmaktadır. Yapının sağdaki tek şerefeli minaresi kesme taştandır. Büyük kubbenin eteğinde on altı pencere vardır ve burayı köşelerde dört kubbecik desteklemektedir.

Caminin kapısındaki kitabede yer alan şiir, Şeyhülislam Yahya Tevfik'e aittir. Banisi Şebsafa Hatun vefat ettiğinde, caminin haziresine defnolunmuştur.

18,42 metrelik kubbesi, dört büyük yarım kubbeye yaslanmaktadır. Şadırvan avlusu, 12 sütun üzerine 16 kubbelidir. Her iki minaresi de çift şerefelidir. İmaret, medrese, tabhane ve türbeler cami bahçesinde ve arka sokaktadır.

Şehzade türbesinin içindeki çiniler, yaşamı çağrıştırır şekilde canlıdır. Ortadaki sandukada Şehzade Mehmed, bunun sağında Şehzade Cihangir, solunda ise Hümaşah Sultan yatmaktadır. Şehzade türbesinin sol tarafında ise Rüstem Paşa'nın türbesi bulunur. Diğer şehzade türbeleri Vefa tarafındadır. Caminin dış avlusunda, İbrahim Paşa ile Destari Mustafa Paşa'nın türbeleri vardır.

83

ŞEHZADE CAMİİ

~

Fatih'te, Şehzadebaşı semtinde, Belediye Sarayı'nın çaprazında olup, Fatih ve Bayezid külliyelerinin arasında, kente hâkim bir düzlüktedir. Şehzade adıyla 1543-1548 yılları arasında inşa edilen mabet, daha çok Şehzadebaşı Camii olarak bilinir.

Eser, Kanuni Sultan Süleyman tarafından, 1543'te genç yaşta ölen oğlu Şehzade Mehmed adına Mimar Sinan'a yaptırılmıştır. Şehzadebaşı Camii, Mimar Sinan'ın kendi tabiriyle çıraklık eseridir.

Mimar Sinan'ın inşa ettiği bu cami, onun aynı zamanda ilk anıtsal yapısıdır. Sinan'ın eserlerinde görülen sadelik ve tezyinat bu camide de görülür. Şehzadebaşı Camii medrese, sıbyan mektebi, tabhane, ahır, kervansaray, muvakkithane ve türbelerden oluşmaktadır.

Cami, dört yarım kubbeyle desteklenen bir merkezi kubbeyle örtülüdür. Kare içine oturan haçvari plan tipinin, Osmanlı mimari geleneği çerçevesindeki gelişiminin son noktasıdır. Bu gelişimin bir önceki adımı, Üsküdar'daki Mihrimah Sultan Camii'nde görülür. Mimar Sinan, daha sonra inşa ettiği Süleymaniye ve Selimiye camilerinde Şehzade Camii'nden daha ileri mimari çözümlemelere ulaşmışsa da, bu caminin plan şeması Sultan Ahmed Camii, Yeni Cami gibi 17. yüzyıl camilerinde beğenilerek kullanılmıştır.

Şadırvan avlusu ile cami kitlesi iki eş kareden oluşan caminin kubbe çapı 19 metre, kubbenin zeminden yüksekliği ise 37 metredir. Merkezi kubbe, pandantifli kare bir baldaken oluşturur. Kubbeyi taşıyan dört filayağı fazla yer kaplamayacak şekilde inşa edilmiş, bu da mekân bütünlüğü için yararlı olmuştur. Örtü, yarım kubbeler ve eksedralarla yapı kanatlarına ulaşır. Dışarıya, büyük orta kubbenin oturduğu kare kısmın dört köşesine ve yarım kubbelerin yanlarına dört ağırlık kubbesi konularak kemerlerin açılması önlenmiştir. Bu uygulama aynı zamanda yapının kademeli olarak yükselmesini sağlamıştır. Yan galerileri olmayan mabette, sadece hünkâr ve müezzin için küçük birer mahfil bulunur. Masif duvarların yerine ilk kez dış mimaride revak kullanılmıştır.

▲

*Avludaki sekizgen şadırvandan
bir görünüm*

Şehzade Camii, Osmanlı mimarlığının en dengeli avlularından birine sahiptir. Merkezde bulunan sekizgen şadırvan, yaklaşık bir modül büyüklüğündedir. Revak kubbelerinin büyüklükleri birbirine eşit, yükseklikleri birbirine eştir ve cami planındaki köşe kubbelerle hemen aynı büyüklüktedir. Bu yüzden Şehzade Camii avlusu, Bayezid Camii avlusuyla birlikte Osmanlı Mimarisi'nin en dengeli ve güzel avlularından biridir. Eserin mermer ve somaki kaidelere oturan revak sütunları 12 adettir. Revakları örten kubbelerin sayısı da 16'dır.

Bezeme özellikleri açısından özgün bir yapı olan Şehzade Camii, 15. yüzyıldan itibaren başlayan yalınlaşma eğiliminin dışına çıkmıştır. Bu cami çok renkliliğin vurgulanışı, yapının dış profillerine getirilen bezemesel öğeleri, minarelerin yüzey bezemeleriyle benzersiz bir yapıdır. Eserin mihrap, minber ve müezzin mahfili mermerdendir.

Camiden daha önce inşa edilen Şehzade Mehmed Türbesi, Osmanlı mimarlığının en güzel mezar yapılarından biridir. Bilinçli bir bezeme endişesi görülen türbe, mermer ve pişmiş toprakla çok renkli bir kaplamaya sahiptir. Bu eser tek kubbeyle örtülü sekizgen bir yapıdır. Üç açıklıklı, düz saçaklı revaklı bir girişi vardır. Şehzade Mehmed Türbesi'nden sonra zaman içerisinde etrafında yapılan türbelerle burası bir hazireye dönüşmüştür.

Dış avlunun kuzeydoğu duvarını oluşturan medrese, asimetrik bir plana sahiptir. Bir dershane ve yirmi hücreden oluşan yapıda, aynı zamanda mescit olarak da kullanılmak üzere bir mihrap nişi bulunmaktadır. Girişin karşısına bir eyvan yerleştirilmiş, burada da renkli taşlar ve palmet dizisiyle süsleme yapılmıştır.

Sıbyan mektebi dış avlunun güneyinde olup, 7,50 metre çapındaki tek kubbeyle örtülüdür. Dershane ocaklı, kubbeli tek bir mekândan oluşan yapının özgün revaklı girişi günümüze ulaşmamıştır. İmareti, külliyenin güneyindedir. Mektep, bir avlu çevresine yerleştirilmiş mutfak, yemekhane, ambar ve kilerlerden oluşmaktadır.

Sıra dışı bir plana sahip tabhaneye, caminin dış avlusundan girilir. Asıl tabhane, iki eşit ama bağımsız bölümden oluşmaktadır. Bölümler, bir giriş holüne açılan dört odalı konut planındadır. Odalar kubbeli, dikdörtgen planlı; orta sofalar ise kubbeli ve aydınlık fenerlidir.

Şehzade Külliyesi, Türk mimari tarihinde bir dönüm noktasıdır. Bursa ve Edirne'nin ardından İstanbul'un alınmasıyla birlikte Bizans mimarisinin de mirasçısı olan Osmanlı; Fatih Camii'yle birlikte bu mirası aşmaya başlamıştır. Bu alanda neredeyse artık zirveye ulaşıldığı düşünülürken, Mimar Sinan'ın büyüklüğü devreye girmiştir. Çünkü Sinan ilk kez bu büyük projede, kendisine kalan mirası yoğurup yeni bir söylem getirmiştir.

Şehzadebaşı Camii'nin büyük dış avlusu altı kapılıdır. Caminin cümle kapısının duvarının iki yanındaki ikişer şerefeli çift minaresi, yapının en dikkat çeken bölümlerindendir. Diğer cami ve minarelerdeki sadeliğin aksine Şehzade Camii'nin minarelerindeki tezyinat emsalsizdir.

Şehzadebaşı Camii, Mimar Sinan'ın çıraklık eserimdir dediği camidir. Şehzade Türbesi'nin içindeki çiniler ölüm yerine yaşamı çağrıştırır.

Şehzadebaşı Camii

84

ŞEMSİ PAŞA CAMİİ

~

Üsküdar sahilinde, Şemsi Paşa Caddesi üzerindedir. 1580'de Şemsi Ahmed Paşa tarafından yaptırılan bu eser, Mimar Sinan'ın inşa ettiği en küçük külliyedir.

İki kapısı olan cami avlusunun bir kapısı deniz tarafına, diğeri ise park yönüne açılmaktadır. Kesme taştan harpuştalı olarak yapılan bu kapıların üzerinde kitabe yoktur. Avlu duvarlarında, klasik demir parmaklıklı pencereler bulunmaktadır. Camiye park tarafındaki kapıdan girildiğinde, sağ tarafta küçük bir hazire, sol tarafta ise aptes mahalli görülür. Avlunun kuzey ve doğu tarafını 'L' şeklindeki medrese çevirmiştir.

Şemsi Paşa Camii, Mimar Sinan'ın inşa ettiği en küçük külliyedir. Caminin bulunduğu mekânda yer alan medrese, günümüzde kütüphane olarak hizmet vermektedir.

Kare planlı caminin tek kubbesi kurşun kaplıdır. Kubbe, sekiz yüzlü bir kasnağa oturtulmuştur. Kasnağın dört yüzü, köşelerde olmak üzere yarım kubbeciklerle takviye edilmiştir. Kasnakta ayrıca dört pencere vardır. Caminin son cemaat yeri ve sağ tarafı, on mermer sütunun taşıdığı bir revakla çevrilmiştir. Revakların üzeri düzdür. Kesme taştan yapılan caminin kemerli cümle kapısı üzerinde dört mısralı şu kitabe bulunmaktadır:

Şemsi Paşa eyledi bu camii bünyâd çün

Umarız kim ola merhûmun yeri

dârü's-selâm Ulvi'yâ hâtif görünce didi kim

târihi Secde-gâh olsun Habîb'in ümmetine bu makâm.

Bu dörtlük, ebcet hesabı ile 988 rakamını vermekteyse de, yapım tarihi kesin olarak bilinmemektedir.

Mabet alt üst pencereli olup, üst pencereleri vitraylıdır. Çok güzel bir görünüme sahip yapının yarım kubbeleri ve mermer mihrabı istalaktitlidir. Caminin sonradan yapılan minberi ahşaptır. Caminin kubbe göbeğine ve kasnağına güzel bir yazıyla ayetler yazılmıştır. Sağ taraftaki minaresi mabet gibi kesme taştan yapılan caminin şerefesinin altı istalaktitlidir. Son cemaat yerine pek az çıkıntı yapan minare, caminin esas yapısı üzerine ve köşeye oturtulmuştur.

1940'ta onarım gören caminin banisi Şemsi Ahmed Paşa, İsfendiyaroğulları ailesinden Kızıl Ahmed Bey'in oğludur. Kendi tezkiresinde soyunun Halit bin Velid'e dayandığı yazmaktadır. Enderun'da yetişmiş, avcıbaşılık ve Kanuni Sultan Süleyman ile II. Selim'in musahipliğini yapmıştır. Kanuni'nin son seferi olan Zigetvar Kalesi'nin kuşatılmasına katılmış ve III. Murad zamanında veziriazam olmuştur.

Şair ve bilgin bir kişi olan Şemsi Ahmed Paşa'nın türbesi, külliyenin çok küçük olması nedeniyle yaptırdığı caminin bitişiğindedir.

Caminin bulunduğu mekânda yer alan medrese, günümüzde kütüphane olarak hizmet vermektedir. Şemsi Paşa Camii, Kuşkonmaz Camii olarak da bilinmektedir.

85

ŞİŞLİ CAMİİ

~

Şişli'deki meydanda, Halaskargazi Caddesi ile Abide-i Hürriyet Caddesi arasındaki adacıktadır. 1945'te yapımına başlanan cami, 1949'da ibadete açılmıştır. Vasfi Egeli'nin baş mimarlığında Fikri Santur, Nazimi Yanal ve Vahan Kantarcı tarafından inşa edilmiştir.

Eserin bir ana kubbesi ve bu kubbenin etrafında üç yarım kubbesi vardır. Son cemaat yeri revaklı olan caminin ana binaya bitişik tek şerefeli bir taş minaresi bulunmaktadır. Etrafı duvarlarla çevrili olan cami avlusuna üç kapıdan girilir. Geniş avlunun ortasında üzeri açık mermer bir şadırvan bulunmaktadır. Giriş kapısına merdivenlerden çıkılan avlunun içinde imam, müezzin, cami görevli odaları ve kütüphane, mihraba göre ana yapının sol tarafındadır. Caminin kabaralı giriş kapısı üzerindeki hat Hamit Aytaç'a (1891-1982) aittir. Caminin bütün hatları Hamit Aytaç, Macit Ayral ve Halim Özyazıcı tarafından yazılmıştır.

Cami, küfeki taşından yığma tekniğiyle yapılmıştır. İçeri girince orta yerde bir fiskiye ve yanlardaki mahfiller ile ana ve alt tavanlardaki süslemeler dikkat çekicidir. Zemin gül pembe halıyla kaplıdır ve alttan ısıtılmalıdır. Yapının mermer mihrabı üzerinde vitraylı pencereler vardır. Cami içinde sol tarafta tarihi bir Kâbe örtüsü bulunmaktadır. Camide müezzin mahfili ile kadınlar ve erkekler mahfili bulunmaktadır.

Şişli Camii'nin bütün hatları Hamit Aytaç, Macit Ayral ve Halim Özyazıcı tarafından yazılmıştır. Cami içinde sol tarafta tarihi bir Kâbe örtüsü bulunmaktadır.

TEŞVİKİYE CAMİİ

~

Şişli'de, Teşvikiye semtindeki Rumeli Caddesi üzerindedir. Cami, Sultan Abdülmecid tarafından 1854'te yaptırılmıştır. Caminin nüvesi, 1794-1795 yıllarında III. Selim'in buraya inşa ettirdiği mescittir.

Padişahın gezileri sırasında namaz kılması için yapılan ahşap mescit, Nişantaşı'nın o zamanlar boş olan arazisindeki ilk binasıdır. Küçük ve bakımsız olduğundan zamanla ihtiyaca cevap veremez hale gelen mescide yapılan eklemelerle bugünkü Teşvikiye Camii'nin temelleri atılmıştır.

Avlusunda bulunan iki menzil taşından, bir zamanlar atış talimlerinin bu civarda yapıldığı anlaşılan caminin varlığı ibadet ihtiyacını giderirken, günübirlik gezilerin de çoğalmasına vesile olmuştur. Sultan Abdülmecid'in Topkapı Sarayı'ndan Dolmabahçe Sarayı'na taşınmasından sonra hanedan üyeleri ve ileri gelen devlet görevlileri de bölgeye yerleşmeye başlamıştır.

Teşvikiye Camii'nin hünkâr mahfili kapısının üzerindeki manzum kitabesinde, bu semti ihya edenin ve Teşvikiye Camii'ni yaptıranın Sultan Abdülmecid olduğu anlatılmaktadır. Camiinin avlusunda iki tane nişan taşı vardır. Üzerlerindeki kitabelerde III. Selim'in tüfekle 1.260 gezden (bir gez bir ok boyudur) su teştisi hedefini, diğerinde ise II. Mahmud'un teşti hedefini vurduğu anlatılmaktadır.

> Padişahın gezileri sırasında namaz kılması için yapılan ahşap mescide zamanla yapılan eklemelerle bugünkü Teşvikiye Camii'nin temelleri atılmıştır.

TEFVİKİYE CAMİİ

~

Akıntıburnu'na hâkim bir konumdadır. Tefvikiye Camii dikdörtgen planlı, üçgen alınlıklı ve tek minareli küçük bir camidir. II. Mahmud kâgir duvarlı ve ahşap çatılı bu camiyi inşa ettirmeye başladığında, köyde Müslüman nüfus yok denecek kadar azdı. Hattat Yesarizade Mustafa İzzet Efendi'nin caddede bulunan avlu kapısının üzerindeki kitabesinde şu dizeler yazmaktadır:

"Padişah-ı din perver saye-i Rabbil ibad,

Hazreti sultan Mahmudi Şeriat İktida,

Yapdı bu canibde cami ol imamül Müslimin,

Eylemekte her taraftan rüzi şeb celbi dua,

Lütfi der yaveş revan oldu Akıntıburnuna,

Askeri mansürine bir kışla yaptı ibtida,

Kıldı biir cami dahi inşa ki cündi mü'minin

Eylesünler ande ihlas ile her vakti eda,

Ol hüdavendi celilüşşani asker perverin,

Ömrün efzun eyleyüb nusret vire hak daima,

Yazdı Rif'at bendesi tarişhi müstesnasını,

Kıldı Han Mahmudi Adli Camii bala bina."

Caminin minberi ve vaaz kürsüsü ahşaptır. Altı bodrum mahzen olan caminin mihrap yeri deniz tarafında, son cemaat yeri ise avlunun arka kısmındadır. Yapının kâgir minaresinin kapısı avluya açılmakta ve avluda bir çeşme bulunmaktadır. Geçmiş yıllarda cemaatin aptes aldığı musluklara gelen dağ suyu bazı tarla ve bahçe sahipleri tarafından patlatılmış, su tarla ve bahçelere akıtılmıştır. O yıllarda, cami cemaatinin çoğunun su sıkıntısı yüzünden dağıldığı söylenmektedir. Artık caminin suyu aktığı için cemaatin her an aptes alması da mümkündür. Daha önceki yıllarda caminin sol tarafında bulunan ek bina kullanılmamaktaydı ve cami kısmen bakıma muhtaç bir haldeydi. Günümüzde caminin her bölümü kullanılabilir haldedir. Cami imamının gayreti, cemaatin himmetiyle caminin bakımı periyodik olarak yapılmakta, kırılan ve eskiyen yerleri hemen tamir edilmektedir.

Geniş bir avlusu bulunan caminin iki kapısı da avluya açılır. Kapılardan biri cümle kapısı, diğeri de hünkâr kasrının özel kapısıdır. Kapıların üzerinde, II. Mahmud'un tuğrası bulunan iki mısralık kitabeler mevcuttur. Cümle kapısı üzerinde caminin yapımına başlandığı, hünkâr kapısındakinde ise inşaatın devam ettiği belirtilmektedir.

88

TEZKİRECİ OSMAN EFENDİ CAMİİ

~

Kuruçeşme Camii olarak da bilinen bu cami Beşiktaş'ta, Kuruçeşme-Arnavutköy yolu üzerindedir. Caminin banisi Tezkireci Osman Efendi'dir. Ayvansarayi Hüseyin Efendi, *Hadîkat-ül Cevâmi*'de caminin 18. yüzyılda yapıldığını yazmaktadır. Mehmet Raif ise, *Mir'at-ı İstanbul*'da caminin banisi Osman Efendi'nin Sultan I. Mahmud'un (1730-1740) tezkirecisi olduğunu ve caminin de bu dönemde yapıldığını kaydetmiştir.

Bir 18. yüzyıl eseri olan Tezkireci Osman Efendi Camii'nin, günümüze kadar gelen bugünkü cami olduğu anlaşılmaktadır. Caminin mimarının kim olduğu bilinmemektedir. Cami ahşap karkas, dolgu duvarları tuğla olan, çatısı kırmızı kiremitle örtülü, son cemaat yeri ve harimin arkasında kadınlar mahfili bulunan bir binadır.

Caminin son cemaat yerine giriş, sol tarafta bulunan bir kapıdan yapılmaktadır. Son cemaat yerine girilen bu giriş kapısının sağında bulunan ahşap merdivenlerle kadınlar mahfiline çıkılır. İnce sütunlar üzerinde duran kadınlar mahfili, ahşap tırabzanlarla mihrap yönüne açılır. Mahfilin solunda üç pencere, diğer kısmında ise bir pencere yer almaktadır.

Son cemaat yerine giriş veren kapının tam karşısında açılan ahşap küçük bir kapıdan minareye çıkılır. Harime giriş mihrap tarafındadır. Harim kapısının yanında iki pencere yer almaktadır. Harimin tavanı ahşaptır. Tavan içten düz, dıştan meyilli bir çatıyla örtülüdür. Çatı kiremitle kapatılmıştır.

Dikdörtgen planında olan harimin girişinin iki tarafında maksureler bulunmaktadır. Sağ cephe duvarında dört pencere vardır. Bu pencereler çift sıralıdır ve üsttekiler yuvarlak kemerli, alttakiler dikdörtgen sövelidir. Mihrabın iki yanında ve yol cephesinde altlı üstlü demir kafesli, kesme taş söveli, dikdörtgen planlı 12 pencere, üstte kemer tarzında alçı pencereleri vardır. Doğu duvarında da aynı tarzda on iki pencere bulunmaktadır.

Mihrap içten yarım yuvarlaktır. Dıştan ise yarım kubbeyle örtülü çıkma yapar. Yapının minberi ile vaaz kürsüsü ahşaptır. Harimin sağ tarafında bulunan yüksek kottaki bir kapıdan ek bir mekâna girilir. Bu ek mekâna bir giriş de yapı dışında bulunmaktadır. Dikdörtgen planlı bu yerin mihrap yönünde iki yuvarlak kemerli, sağda ise üç tane dikdörtgen planlı penceresi vardır.

Caminin sol köşesinde bulunan tek şerefeli minarenin kürsü (kaide) kısmı kesme taştan yapılmıştır; silindirik gövdesi ise sıvalıdır. Harim altında sıra dükkânlar bulunan cami 1953'te bir tamir daha görmüştür.

Caminin kuzeyinde ve batısında mermer bezemeli taşları ile iki haziresi vardır. Caminin batı kesimindeki hazirenin doğu duvarında mermer bezemeli Hamidiye Çeşmesi yer almaktadır. Ancak günümüzde bu çeşmenin suyu akmamaktadır. Semte adını veren çeşme, caminin doğu cephesindeki harim altında (yol cephesinde) yer almaktadır. Klasik Türk mimari üslubunda, kesme küfeki taştan yapılmıştır. Mermer yalaklı, iki tarafında sekileri, Selçuk yıldızı ve servi motifleriyle işli mermer aynataşlı çeşme 1683 (h. 1095) tarihlidir.

Daha sonra suyu kaçan bu çeşmeye "Kuruçeşme" denmiş, semt de adını bu çeşmeden almıştır. Bu çeşmeyi Köprülü Fazıl Ahmed Paşa'nın kız kardeşi onarıp yaptırmıştır. İstanbul'un en dar sokağı olan 89 santimlik Alaybeyi Sokağı da bu caminin bitişiğindedir.

▶ *Caminin içinden bir görünüm*

ÜÇ MİHRAPLI CAMİ

~

Fatih'te, Eminönü-Unkapanı Caddesi üzerinde, Küçükpazar semtindedir. Hoca Hayreddin Camii veya Kazancılar Mescidi de denilen bu caminin banisi olan Hoca Hayreddin Efendi, Fatih Sultan Mehmed'in hocasıdır.

Hadîka, Üç Mihraplı Cami'nin h. 874 (1469-1470) yılında yapıldığını, sonra Fatih Sultan Mehmed'in minber koydurmak için mescidi genişlettiğini ve bir mihrap koyduarak, onun yanında minber yaptırdığını belirtmektedir. Yine aynı eserde Hayreddin Efendi'nin Şam kadısıyken ölen oğlu Ahmed Efendi'nin hanımının kendi evini mescide ekleyerek bir mihrap daha yaptırdığını ve bundan ötürü de bu ismi aldığını eklemiştir.

Üç Mihraplı Cami'nin vakıf defterinde vakfiye tarihi bulunmamaktadır. Vakıf kayıtlarına göre caminin yıllık geliri 46.873 akçeye ulaşıyordu. Bu gelirden camideki hatibe 2, imama 3, müezzine 2, sala müezzinine 1, kayyıma 1, sermahfil ve hafızlara 5, müderrise 25, talebeye 7, imaretin yiyecek masrafına 15, mütevelliye ise günlük 5 akçe ödeniyordu. Yine bu kayda göre Fatih'teki diğer mescit imamına 3, müezzine 2, Ayasofya'da kürsühana 1, şehir cabisine 1, köyler cabisine 3, cami ve mescit yağ ve hasırının da gündeliğine 1 akçe veriyordu. Vakfiye, caminin yıllık toplam masrafını 28.440 akçe gösterip yılda 18.433 akçe artırmaktaydı.

Caminin sonradan yıkılan iki ilavesi, Sultan Abdülhamid döneminde yeniden ve çatılı olarak yapılmıştır. Önceki döneme ait kaydı olmadığından, bu iki bölümün kubbeli olup olmadığı bilinmemektedir. Ancak ilk kısım kubbelidir ve son cemaat yerinde de iki kubbe bulunmaktadır. E. Hakkı

Ayverdi'nin verdiği bilgilere göre, caminin yıkılan revakı 1959-1960 yıllarında yapılmış, 1956 depreminde yıkılan minaresi de yenilenmiştir. Revak ve pencerelerin bozuk yerleri ince kesme taşla örülmüştür. Asıl taşlar moloz iken, tamirleri kesme taşla yapılmıştır ki, Ayverdi bunu "fuzuli ve manasız bir garibe" olarak değerlendirerek, "Bir kere olandan fazlaya gitmek, aslı bozmaktır; kaldı ki para ve imkân bu kadar bolsa, onu yerine sarf etmek gerektir. Yine bu tamirde yapılan revakın iç yüzünü murçla işlenmiş kaba bir halde ve sıvasız bırakmışlar; son derece çirkin görünmektedir. Cami tamamen moloz taşıyla yapılmıştır. Mihrabı pek sivridir. Kubbe baklavalı bir kuşağa oturur. İlave ile asıl arasına ikişer küsür metrelik iki geçit açılmıştır. İki sahn seviyeleri arasında 1,30 metre kadar fark vardır" şeklinde eleştirmiştir.

Hoca Hayreddin'in kabri mihrabın arkasındadır. Yazısı çok güzel olan mezar taşında "Hü-Ebu'l Feth Sultan Muhammed Han Hazretlerinin üstadlarından Sahibu'l hayrat ve'l-hasenat merhum ve mağfur Hoca Hayreddin hazretlerinin ruhuna el-fatiha. Sene 880" ibaresi okunmaktadır. Yanındaki daha küçük taşta ise "Ya Hu, Hoca Hayreddin Efendi hazretlerinin gelini ve mihrab-ı salis sahibesi merhumenin ruhuna lillahil-fatiha 880" yazılıdır.

ÜRYANİZADE CAMİİ

~

Kuzguncuk'a doğru ilerlerken, Cemil Molla Köşkü'nün yanında yer alan şirin mi şirin Üryanizade Camii, adeta minyatür bir yalı gibidir.

Cami, 1889'da II. Abdülhamid dönemi şeyhülislamlarından Üryanizade Ahmed Esad Efendi tarafından yaptırılmıştır. Altı kayıkhane olan bu lebiderya mescit fevkani olup ahşaptandır. Caminin dikdörtgen planlı harimine giriş batıdan yapılmaktadır.

Cami girişinin önünde bulunan dikdörtgen sundurmaya merdivenle çıkılmaktadır. Mihrap duvarı dışarıda caddeye uyarken, içeride bir duvarla bu durum düzeltilmiştir. Mescidin en ilginç özellikleri, bodur gövdesi ve köşk biçimindeki şerefesi ile minaresidir. Mahfilin merdivenlerinin bitiminde bir dolap misali açılan kapıyla mescidin en ilginç öğesi olan minareye çıkılabilmektedir. Bodur gövdeli olan minare, caminin kuzeybatı köşesinde yer almaktadır. Şerefesi baklava motifleriyle süslüdür. Köşk biçimindeki şerefenin üst kısmında kademeli kaş kemerler, ara dolgularda ise beş kollu yıldızlar vardır. Daha üst tarafında mukarnaslar ve köşelerde yapraklarla bezenmiştir. Sekiz kenarlı kurşun bir külahla örtülü olan şerefenin üst tarafındaki alem kaidesi girlandlarla süslüdür. Mihrap duvarında pencere bulunmazken, batı duvarında üç tane yüksek pencere yer almaktadır. Deniz tarafındaki cephede ise üç mahfil içinde, üç pencere bulunmaktadır. Caminin mihrabı basit bir niş şeklinde mermerden yapılmıştır. Minberi de yine aynı şekilde basit ve sadedir.

Yalı mimarisinden oldukça etkilenildiği görülen caminin pek çok kez onarım görmesi nedeniyle iç bezemesi sürekli değişmiştir. Yapının içinde günümüzde beyaz zemin üzerine değişik renklerle yapılmış farklı motifler bulunmaktadır.

Üryanizade Camii, adeta minyatür bir yalı gibidir. Caminin pek çok kez onarım görmesi nedeniyle iç bezemesi sürekli değişmiştir.

91

VASAT ATİK ALİ PAŞA CAMİİ

~

Fatih'te, Karagümrük semti yakınında, eski adıyla Zincirlikuyu mevkiinde, Fevzipaşa Caddesi üzerindedir. Bulunduğu semte adını da verdiğinden cami civarı Atikali olarak da anılmaktadır.

Atik Ali Paşa Camii, II. Bayezid döneminde ünlü sadrazamlardan Hadım Ali Paşa tarafından 1512 yılında (h. 1481) inşa ettirilmiştir. Caminin mimarı ise bilinmemektedir.

Osmanlı mimarisinin karakteristik özelliklerini taşıyan eser, Bursa'daki Ulu Cami'yi çağrıştırmaktadır. Dikdörtgen planlı ve çok kubbeli olan cami, harim kısmında iki ayaküzeri altı adet, son cemaat kısmında ise üç adet olmak üzere dokuz adet kubbeyle örtülmüştür. Yapının duvarları kesme taş ve tuğladan sıralı şekilde almaşık olarak örtülmüştür.

1648 yılında (h. 1058) meydana gelen depremde önemli ölçüde hasar gören caminin, iç avludaki üç adet kâgir kemerle birlikte minaresi şerefeye kadar veya tamamen yıkılmıştır. Bunun üzerine cami büyük bir tamirat görmüştür.

Bazı yazılı kaynaklarda, caminin 18. yüzyılda bir kez daha onarım gördüğü yazılıdır. Minarenin özellikle kaide kısmının camiyle aynı dönemde yapıldığı bellidir. Söz konusu bu tamirat sırasında yapının kapısında da tadilat yapılmıştır. Alçıdan altı sıra bademli ve uçları püsküllü olan mihrabın sonradan yenilendiği anlaşılmaktadır. Yağlıboyayla boyalı olan taştan minberin alt kısmı sade olup, külahı tutan ayaklar stalaktitlidir. Bunları bağlayan kemerler dilimli, üstü ise stalaktit taçlıdır. Tek şerefeli olan minaresinin girişi ise dışardan olup, kaideden üçgenlerle gövdeye geçilmektedir. Kaidenin inşa tekniğinin değişik biçimde oluşu 18. yüzyıldaki tamirat sırasında yapıldığı ihtimalini güçlendirmektedir.

Minarenin gövdesi kesme taştan yapılmıştır. Kaide üçgenlerinden sonra ve şerefe altında dışarıda birer simit kabartmaları olup, şerefe korkulukları geometrik rölyefli ve şerefe altı helezon yivlidir. Cami, 1956-1957 yıllarında Vakıflar İdaresi tarafından restore edilmiştir. Tek girişi bulunan kapının üzerindeki kitabe, Hattat M. Rakım Efendi'ye aittir. Caminin içi son cemaat kısmıyla birlikte 300 metrekare olup, mahfili ve kürsüsü ahşaptır. Dış avlusu çok küçük olan caminin yakınında, günümüzde dispanser olarak kullanılan medresesi ve çifte hamamı ile Hattat Rakım'ın türbesi bulunmaktadır. Camiye, yakınındaki zincirli kuyudan dolayı Zincirli Kuyu Camii de denilir. Atik Ali Paşa kendi adına Çemberlitaş'ta bir cami daha yaptırmış, ayrıca Edirnekapı'daki mozaik ve freskleriyle ünlü Kariye (Chora) Manastırı Kilisesi'ni de camiye tahvil ettirmiştir.

Osmanlı mimarisinin karakteristik özelliklerini taşıyan eser, Bursa'daki Ulu Camii'ni çağrıştırmakta olup, dikdörtgen planlı ve çok kubbelidir.

92

VİLAYET CAMİİ

~

Eminönü'nde, Cağaloğlu Yokuşu üzerinde, İstanbul Valiliği'nin hemen yanındadır.

Hadika'da, caminin banisinin İmam Ali Efendi olduğu belirtilmektedir. Yine aynı yerde caminin minaresinde 3-4 adet nal resmi olduğundan, yapının Nallı Mescit adıyla anıldığı da ifade edilmektedir. Banisi İmam Ali Efendi'nin kabrinin orada bulunduğunu, vazifelerin de Mahmud Paşa Vakfı'ndan verildiğini yine bu kaynaktan öğreniyoruz. Ancak Ekrem Hakkı Ayverdi, *Osmanlı Mimarisinde Fatih Devri* adlı kitabında "Mahmud Paşa'nın cami bahsinde yazdığımız vakfiyesinde, tahsis olunduğu halde, buna olmadığını gördü idik" diye yazmaktadır.

Mescit tek kubbelidir. Ayverdi, 1968 yılında tamir için caminin sıvaları döküldüğünde, ufak kaba yontma taşlardan örülmüş duvarlarının ortaya çıktığını belirtmektedir.

Caminin asıl giriş kapısı ön taraftadır. Üzerinde Kazasker Mustafa İzzet Efendi'nin hattıyla yazılı olan "İnnessalata kanet alelmü'minine kitaben mevkûta" ayeti kerimesi 1283 (m. 1866) tarihini göstermektedir. Bu hattan başka, caminin sağ yanından açılan diğer bir kapıda ise "Esselatü imadud-din" hadis-i şerifi bulunmaktadır ki, Sami Efendi'nin bu hattı da bir şaheserdir. Bu ikinci kapıdaki tarih 1320 (m. 1902-1903) yılını göstermektedir.

Ekrem Hakkı Ayverdi, caminin içerisinin bir duvarla bölünüp bir giriş meydana getirildiğini belirtirken, "Fakat cepheye Arap kılığı giydirilen istalaktitli, saçak silmesi, kubbe eteğine bir acayip laleli kuşak dizmişler, pencereleri bozmuşlar, minareye cumbalar eklemişlerdir. Bu Arap üslubunun bazen makbul ve muteber tutulmasına şaşmamak kabil midir? Bir benzeri de Beyoğlu Ağa Camii'nde 1930'larda yapılmıştır. Süsten nefret eden Osmanlı üslubunu beğenmemek, düştüğümüz küçüklük hissinin alamet-i farikasıdır" diyor. Mescitin içten içe genişliği 8,50x8,50 metredir. Caminin yukarıda saydığımız iki kapısından başka sol yanda bir kapısı daha bulunmaktadır. Duvar kalınlıkları 105 santimetre olan caminin tek şerefeli bir minaresi vardır.

Eserde meşruta, tuvalet ve şadırvan gibi bir cami için gerekli olan şeylerden hiçbiri bulunmamaktadır. Banisi İmam Ali Efendi'nin, Başbakanlık Arşivi deposu olarak kullanılan binanın arkasındaki kabrinin baş taşında, Mevlevi şeyhi sikkesi vardır.

Cami tek kubbelidir. Ayverdi, 1968 yılında tamir için caminin sıvaları döküldüğünde, ufak kaba yontma taşlardan örülmüş duvarlarının ortaya çıktığını belirtmektedir.

93

YAHYA EFENDİ CAMİİ

~

Beşiktaş'ta, Çırağan Sarayı'nın arkasındaki yamaçta, Yıldız Korusu girişinin Ortaköy tarafındadır. Cami-tevhidhane ve tekkesinin, Yıldız sırtlarından sahile kadar uzandığı bu külliye, 1538'de inşa edilmeye başlanmıştır. Banisi, 16. yüzyıl ileri gelen âlim, fazıl, şair, tabip ve mutasavvıf ile aynı zamanda Kanuni Sultan Süleyman'ın süt kardeşi olan Beşiktaşlı Şeyh Yahya Efendi'dir.

Mimarı bilinmeyen cami dikdörtgen planlı, kâgir ve ahşap kubbelidir. Yapının ilginç tarafı, minaresinin olmayışıdır. Caminin iç alanı 200, toplam alanı ise yaklaşık 400 metrekaredir. Şeyh Yahya Efendi Camii, İstanbul'da benzerleri içinde konumu ve manzaraya hâkimiyeti açısından ayrı bir yere sahiptir.

Şeyh Yahya Efendi adına inşa edilen caminin yapım tarihi, çeşmesindeki kitabeden anlaşılmaktadır. Kitabedeki Yahya Efendi'ye ait beyit, ebcet hesabıyla h. 945 (1538) tarihini vermektedir:

> *"Bina tarihi bu inşalar olsun*
>
> *Konup içenlere sıhhalar olsun"*

Şeyh Yahya Efendi'nin yaptırdığı bu çeşme, 1903 yılında Hacı Mahmud Efendi tarafından yeniden tamir ettirilmiştir. Çeşmenin üzerinde Şeyh Yahya Efendi'nin inşa tarihini veren manzumesi ve altta ikinci banisinin adının yazılı olduğu kitabe yer almaktadır.

Hazirenin giriş kapısının sağ tarafında, 1901 yılında Hacı Mahmud Efendi'nin yaptırdığı kütüphane bulunmaktadır. Hacı Mahmud Efendi tarafından yaptırılan bu kütüphaneye, 4.492 yazma olmak üzere toplam 7.004 kitap vakfedilmiştir. Zamanla sayısı 7.529'a ulaşan bu eserler, şimdi Süleymaniye Kütüphanesi'nde muhafaza edilmektedir.

Yahya Efendi Camii'nin avlusu bulunmamaktadır. Hazireye açılan büyük bir kapıdan caminin camekânlı giriş kapısına ulaşılır. Giriş kapısının hemen solunda Sultan II. Abdülhamid'in yaptırdığı bir çeşme ve üzerinde Sultan II. Abdülhamid'in tuğrası bulunmakta, tuğranın altında h. 1324 (1906) tarihi ile yanlarında da "Hamidiye Çeşmesi" ibaresi yazılıdır.

Cami ve türbeye giriş camekânlı ahşap bir kapıdan yapılmaktadır. Kapının üzerinde "Edep Ya Hu", bunun altında da "Eline, diline, nefsine dikkat et" yazısı vardır. Caminin giriş kapısından bir koridora geçilir. Tavanı basit bir ahşap kapla-

Yahya Efendi Camii'nin ilginç tarafı minaresinin olmayışıdır. Eser, İstanbul'daki benzerleri içinde konumu ve manzaraya hâkimiyeti açısından ayrı bir yere sahiptir.

Yahya Efendi Camii'nde cami, tekke ve türbe iç içedir. Onun için klasik Osmanlı cami mimari tarzındaki son cemaat yeri bu camide bulunmamaktadır.

mayla örtülü olan koridorun duvarları Kütahya çinileriyle kaplıdır. Koridorun tam karşısında aptes muslukları vardır. Burada Sultan II. Mahmud'un 1227/1812 tarihli tuğrası yer almaktadır.

Koridordan kıble yönüne doğru ikinci bir koridor vardır. Bu koridorun solunda bir hazire ve sağ tarafında ise Şeyh Yahya Efendi'nin türbesi bulunmaktadır. Şeyh Yahya Efendi Camii'nde cami, tekke ve türbe iç içedir. Bu yüzden klasik Osmanlı cami mimari tarzındaki son cemaat yeri bu camide bulunmamaktadır.

Caminin ana giriş kapısından girilen koridordan sağa (kıble istikametine) doğru gidildiğinde, sağda Yahya Efendi Türbesi, devamında üst katta bulunan hünkâr mahfiline girişi sağlayan kapı bulunur ve hemen yanındaki sade, iki kanatlı ahşap kapıdan cami içine girilir.

Şeyh Yahya Efendi Camii'nin mihrabı mermer, minberi ile vaaz kürsüsü sade ahşaptır. Kubbe eteklerinden itibaren harimin doğu cephesinde hünkâr mahfili, batı cephesinde kadınlar mahfili, kuzey cephesinin batı tarafında ise harime cumba şeklinde çıkıntılı müezzin mahfili bulunmaktadır. Hünkâr mahfili ile kadınlar mahfilinin harime bakan cepheleri ahşap panjurla örtülüdür. Mahfilerinin üzeri beşik çatıyla kapatılmıştır.

Cami ve türbedeki birçok değerli levhalar ile cami zeminini örten Sultan II. Abdülhamid'in yaptırdığı yekpare halı, güvenlik için Vakıflar İdaresi'nce buradan alınmıştır.

Yahya Efendi, 1495 yılında Trabzon'da doğmuştur. İlk eğitimini Trabzon'da Müftü Ali Çelebi'den aldıktan sonra İstanbul'a gelmiştir. Burada yedi sene medrese tahsili yapmış, sonra meşhur Osmanlı şeyhülislamlarından Zenbilli Ali Efendi Hazretleri'nden ders almış, eğitiminin sonuna kadar da bu derslere devam etmiştir.

Caminin ahşap oymalı tavanından bir görünüm.

Yahya Efendi doğduğunda, Yavuz Sultan Selim Trabzon valisiydi. Yahya Efendi'nin annesi, o günlerde doğan Şehzade Süleyman'a da süt emzirmiş, dolayısıyla bu ikisi süt kardeşi olmuşlardır.

İstanbul'da Canbaziyye, Efdaliyye ve Fatih gibi zamanın önemli medreselerinde müderrislik yapan Yahya Efendi İslami ilimlerde olduğu kadar tıp, geometri gibi ilimlerde de söz sahibi bir kimseydi.

1553'te müderrisliği bırakıp kendi isteğiyle inzivaya çekilen Yahya Efendi, bütün maddi gücünü ortaya koyarak bugünkü dergâhın yerini satın almıştır. İlk olarak arsaya bir ev ve bir cami inşa ettirmiş, sonra da medrese, hamam ve bir çeşme yaptırmıştır. Buradaki medresede hem İslami ilimler hem de tıp öğretilmiştir.

Aynı zamanda şair olan ve "Müderris" mahlasını kullanan Yahya Efendi, yaptırdığı binalar için tarih düşürmüş ve şiirler yazmıştır. Bu şiirlerde az ama öz tavsiyeler de vardır. Okumanın ehemmiyetinden, bu faaliyetlere herkesin elinden geldiğince yardım etmesinin gerekliliğinden, hatta ölüm döşeğinde bile medrese açmaktan bahsetmektedir.

Beşiktaşlı Yahya Efendi 1571 yılında vefat etmiş, cenaze namazı Süleymaniye'de kalabalık bir cemaatle Ebussuud Efendi tarafından kıldırılmıştır.

Kanuni Sultan Süleyman'ın süt kardeşi olan ve döneminin önemli âlimlerinden biri haline gelen Yahya Efendi'nin dergâhı, Yıldız'da yaşamla ölümün iç içe geçtiği huzurlu bir mekân olarak ziyaretçilerine ev sahipliği yapmakatdır.

İstanbullu denizciler, Boğaz'ın dört manevi bekçisi olduğuna inanırlar: Bunlar Üsküdar'da Aziz Mahmud Hüdayi, Beykoz'da Yuşa Aleyhisselam, Sarıyer'de Telli Baba ve Beşiktaş'ta Yahya Efendi'dir. Bundan ötürü Yahya Efendi Dergâhı denizcilerin uğrak yeridir.

Yahya Efendi, 1570'te vefat edince bu dergâha defnedilir. Dergâhın bölümleri o kadar iç içe geçmiştir ki, çeşme, türbeler, sandukalar, cami ve mezarlar hep yan yanadır. Yahya Efendi'nin türbesinin yanı sıra, Kanuni Sultan Süleyman'ın kızı Raziye Sultan, Sultan II. Abdülhamid'in kızı Hatice Sultan, Şeyh Mehmed Nuri Şemseddin Efendi, Şeyh Hasan Efendi, Yahya Efendi'nin eşi Şerife Hatun'un sandukaları da burada bulunmaktadır. Ayrıca türbe girişinde ve dışarısında Şeyh Yahya Efendi'nin torunlarına, saray ve haneden mensuplarına, devrin önde gelen kişilerine, türbedarlara ve müritlere ait mezarlar da yer almaktadır.

Yahya Efendi Dergâhı, hafta sonları yoğun ziyaretçi akınına uğradığı gibi hafta içi de ziyaretçisi hiç eksik olmamaktadır.

94

YAVUZ SULTAN SELİM CAMİİ

~

Fatih'te bulunduğu semte adını vermiştir. Yavuz Sultan Selim adına oğlu Kanuni Sultan Süleyman tarafından Mimar Acem Ali'ye, Haliç'e hâkim bir tepe üzerine yaptırılmıştır. İnşasına h. 926'da (1519) başlanan caminin, h. 929 (1522) yılında tamamlandığı taç kapısındaki kitabesinden anlaşılmaktadır. İstanbul'un yedi tepesinde yer alan yedi selatin camiden biridir.

Caminin bir yanı sarnıç, diğer yanı ise uçurumdur. İçinde şadırvanı olan geniş avluya Türbe, Çarşı ve Kırkmerdiven isimli üç ayrı kapıdan girilir.

On sekiz sütunlu son cemaat yeri, yirmi iki kubbeyle örtülüdür. Avlu ortasında IV. Murad'ın yaptırdığı apteslik bulunmaktadır. Avlunun dış yüzü ile son cemaat yerinin iç yüzü çinilerle süslüdür. Ana kubbe dört duvardan aşağı inen caminin, birer şerefeli iki minaresi bulunmaktadır.

İçerde mihrabın solunda mermer sekiz sütun üzerinde hünkâr mahfili, sağda müezzin mahfili, kıble kapısı üzerinde başka bir müezzin mahfili vardır. Mermer minber de dahil olmak üzere bütün elemanlar oymacılık ve kakmacılık, çinicilik ve tezhip, hat ve nakış sanat eserleriyle donatılmıştır. Mihrabı enfes çinilerle süslü olup, dikkat çekici bir güzelliğe sahiptir. Caminin iki yanında dokuzar kubbeli iki misafirhane ile karşı tarafında bir medresesi bulunmaktadır.

Yavuz Sultan Selim Türbesi, caminin yanındadır. Üç kubbeli türbenin en sağındaki sekizgen türbe Yavuz Selim'indir. İki sıralı pencereleri, dört renkli sütunu ve beş kemeri vardır. Bu revaklı kapıdan girer girmez rengârenk çiniler göz kamaştırır. Kapılar sedef kakmalı abanozdur. Üst tarafta "Her nefis ölümü tadacaktır" ayet-i kerimesi yazılıdır.

Yavuz Selim'in lahdi, maksurenin ortasındadır. Başında Selimi kavuk bulunan lahdin başucunda padişahın tahta çıkış ve ölüm tarihi sırma yazıyla yazılıdır. Bir kapıda Abdülhak Hamid'in şiiri Hulusi Efendi hattıyla asılıdır. Pencere kanatları abanoz ve fildişi kakmalıdır. Türbenin mimarı, Acem Ali'dir. Diğer türbelerde Yavuz Selim'in kızı Hatice Sultan ve karısı ile şehzadeleri Murad, Mahmud, Abdullah ve Sultan Abdülmecid gömülüdür.

Tümüyle küfeki taştan inşa edilen bu caminin hünkâr mahfili, zarif dilimli, kemerli, alt tabanı çeşitli renkteki mermer sütunlar üzerine oturtulmuştur. Yanları şebeke süsle-

Yavuz Sultan Selim'in inşa ettirdiği bu camiye, oğlu Kanuni tarafından türbe, imare ve medrese eklenmiştir.

meli mermer minber ve taş mihrap geleneğe bağlı olarak sade ve klasik üsluptadır. Kapı kanatları ile pencere kapakları fildişi sedeflerle zenginleştirilmiştir. İçteki ve avludaki sivri kemerli pencere alınlıkları renkli sır tekniğiyle imal edilmiş ve zarif çinilerle süslenmiştir. İç avlunun giriş kapısının yanındaki duvarda güneş saati bulunmaktadır. Süslü kafeslerini Sultan İbrahim koydurmuştur. Caminin son derece işlemeli kürsüsü ahşaptır. Mermerden yapılmış müezzin mahfili sağ tarafta ve ortadadır. Kuzeyde enine dikdörtgen planlı, on sekiz sütun üzerine yerleştirilmiş yirmi kubbeli ve revaklı şadırvan avlusu yer almaktadır. Camide Bizans devrinin açık su havuzlarından biri mevcuttur. Giriş kapısının sağında is odaları bulunmaktadır.

Caminin mihrabı önüne denk gelen Yavuz Sultan Selim Türbesi, sekizgen köşeli plan üzerine inşa edilmiş olup tek kubbelidir. Ana girişin iki yanı çini panolarla bezelidir. Sağ taraftaki pano, h. 929 (1523) tarihli bir kitabe içermektedir. Sanduka çerçevesi sedefkâridir. Yavuz'un Mısır seferine giderken hocasının atının ayağından sıçrayan çamurla kirlenmiş kaftan, vasiyeti olarak sandukasının üzerine örtülmüştür.

Şehzadeler türbesi altı köşeli bir plan üzerine yapılmış olup, kubbe kasnağında "Ayet el Kürsi" kabartma olarak yazılmıştır. Türbede, Kanuni Sultan Süleyman'ın oğulları Mahmud ve Abdullah ile kızları Güherhan ve Hüma Şah sultanlar metfundur. Bu yerde bulunan ve yıkılmış olan türbede I. Selim'in zevcesi ve Kanuni'nin anası Ayşe Hafsa Sultan ile I. Selim'in kızı, Sadrazam Müverrih Lütfi Paşa'nın zevcesi Şah Sultan metfundur. Sultan Abdülmecid'in türbesi ise altı köşeli basit kubbeli bir binadır. 25 Haziran 1861'de vefat eden Sultan Abdülmecid ile oğulları burada metfundur.

Caminin çevresinde yer alan medrese, sıbyan mektebi, imaret ve hamamdan oluşan külliyeden geriye günümüze sadece sıbyan mektebi ulaşabilmiştir. İmaretin yerine kız lisesi yapılmıştır. Külliyenin bahçesinde üç adet büyük su sarnıcı bulunmaktadır.

Yavuz Sultan Selim Camii'nin önünde bulunan sarnıcın, bazı tarihçilere göre İmparator Heraklius zamanında, yine başka kaynaklarda II. Theodosius devrinde, bazılarında ise I. Anastasios tarafından Ortodoks kilisesi azizlerinden Ayios Makios adına yaptırıldığı belirtilmektedir. 1,52x1,52 metre boyutlarındaki bu açık sarnıcın 11 metre kadar da derinliği vardır. Günümüzde içinde Çukurboştan Camii ve Eğitim Parkı bulunmaktadır.

95

YENİ CAMİ

~

Eminönü'nde bulunan ve Mısır Çarşısı'yla birlikte 1597 yılında temeli atılan Yeni Cami, Osmanlı sultanları tarafından yaptırılan büyük camilerin son örneğidir. İnşaata çeşitli nedenlerle ara verildiğinden tam 66 yılda tamamlanan caminin yapımında üç ayrı mimar çalışmıştır.

Sultan III. Murad'ın eşi ve III. Mehmed'in annesi olan Safiye Sultan, kendi adına bir cami yaptırmak için saray baş mimarı olan Mimar Sinan'ın öğrencisi Mimar Davud Ağa'yı görevlendirilmiştir. İstanbul'da deniz kıyısında yapılan bu ilk büyük caminin temeli, 1597 yılında devrin ileri gelenlerinin bulunduğu bir törenle atılmıştır.

Uzun uğraşlardan sonra temeldeki suyun kurutulmasının ardından inşaata başlayan Davud Ağa bir veba salgını sırasında ölmüş, bunun üzerine Dalkılıç Ahmed Çavuş, inşaatı devam ettirmiştir. Ancak 1603 yılında III. Mehmed'in ölümüyle Valide Safiye Sultan, geleneklere uyularak Eski Saray'a gönderilince inşaat yarıda kalmış ve yaklaşık 57 yıl kaderine terk edilmiştir. Bu süre içinde yapı tahribata uğramış, bir yangın sonucu da büyük hasar görmüştür.

Köprülü Mehmed Paşa'nın sadrazamlığı sırasında tahtta bulunan IV. Mehmed'in annesi Hatice Turhan Sultan, harabeye dönmüş camiyi görünce, tamamlatmaya karar vermiştir. Dönemin başmimarı Mustafa Ağa, Davud Ağa'nın planlarına uygun olarak inşaata başlamış ve cami üç yıl içinde bitirilerek 1663 yılında törenle ibadete açılmıştır.

Caminin ana kubbesi dört filayağına oturtulmuştur. Mermer oyularak yapılan minberi büyük ve ince bir sanat eseridir. Stalaktit başlıklı sütunların tuttuğu yirmi dört revaklı avluda Türk sanatının en değerli mücevherlerinden sayılan bir şadırvan vardır.

Dört yarım kubbeyle çevrelenen, 36 metre yükseklikte ve 17,5 metre çapındaki yirmi dört pencereli ana kubbe beyaz zemin üzerine oturtulmuştur. Caminin beyaz mermerden minberi, ayrıca pencerelerin sedef kakmalı kapaklarındaki işçilik ince bir sanat ürünüdür. Pencerelerin üzerinde Mustafa Çelebi tarafından yazılan sure ve ayetler yer almaktadır.

Camiyle birlikte bir çarşı (Mısır Çarşısı), iki çeşmeli sebilhane, bir darülkurra ve bir okul yapılmıştır. Mısır Çarşısı, "L" şeklinde olup, tarihi çarşılar içinde Kapalıçarşı'dan sonra en gözde ikinci çarşıdır.

Yeni Cami'nin asıl özelliğini, camiye bitişik bir kemer üzerine yapılan ve 17. yüzyıl Türk mimarlığının en güzel örneklerinden biri olan hünkâr kasrı (valide kasrı) oluşturur. Yapıldığı yıllarda valide sultan, daha sonra da padişah ve sultanlar namazdan ve dini törenlerden önce buraya gelerek bir süre dinlenmişlerdir.

Kasrın giriş kapısındaki ağaç işçiliği, içerideki çinili ocaklar, duvarları kaplayan çini panolar ve renkli cam pencereler görülmeye değerdir. İznik'te yapılan çinilerin bir kısmı sadece bu kasrı süslemek için özel olarak imal edildiğinden, desenlerine başka hiçbir yerde rastlanmaz. Panolar karanfil, gül, şakayık, çeşitli dallar ve yapraklarla süslenmiştir. Cami, selatin camilerin son örneği olduğu gibi, camiye bitişik hünkâr kasrını süsleyen çiniler de Türk çini sanatının en son ve en güzel örnekleridir.

Yeni Cami, Osmanlı sultanları tarafından yaptırılan büyük camilerin son örneğidir.

İtalyan ressam Fausto Zonaro'nun fırçasından, Eminönü ve Yeni Cami

Karaköy'den Yeni Cami

YENİ VALİDE SULTAN CAMİİ

~

Yeni Cami olarak da bilinen Gülnuş Emetullah Valide Sultan Camii, Üsküdar'daki beş selatin camiden biridir. Diğer selatin camiler ise Mimar Sinan'ın inşa ettiği Mihrimah Sultan Camii (İskele Cami), Valide-i Atik Camii, Hamid-i Evvel Camii (Beylerbeyi Cami) ve Selimiye Camii'dir.

Üsküdar'ı süsleyen bu zarif ve muhteşem eser, Sultan III. Ahmed'in annesi Gülnuş Valide Sultan tarafından 1708-1710 tarihleri arasında yaptırılmıştır. Gülnuş Emetullah Valide Sultan'ın (1642-1715) adının verildiği bu camiyi, Lale Devri'nde sarayın baş mimarı olan Kayserili Mehmed Ağa inşa etmiştir.

IV. Mehmed'in başhasekisi ve Sultan II. Mustafa ile Sultan III. Ahmed'in annesi olan Gülnuş Emetullah, oğlu II. Mustafa'nın 6 Şubat 1695 tarihinde tahta çıkması üzerine valide sultan olmuştur.

Hayatının en güzel günlerini III. Ahmed'in saltanatının ilk yıllarında yaşayan Gülnuş Emetullah'ın Osmanlı devrinde pek az kadına nasip olan yirmi yıl süren valide sultanlığı, 1715 yılında oğluyla beraber gittiği Edirne'de vefatıyla son bulmuştur.

Üsküdar'ı süsleyen bu zarif ve muhteşem camiyi Lale Devri'nde sarayın baş mimarı olan Kayserili Mehmed Ağa inşa etmiştir.

YERALTI CAMİİ

~

Kurşunlu Mahzen olarak da adlandırılan Yeraltı Camii Galata'da, Karaköy Vapur İskelesi yakınında, Kemankeş Caddesi üzerindedir.

Burası aslında kuşatma zamanlarında Bizanslılar tarafından gemilerin Haliç'e girişini engellemek için gerdikleri ünlü zincirin kuzey ucunun bağlandığı Kastellion'un bodrumudur. Bu zincirin bazı parçaları günümüzde Deniz Müzesi'ndedir.

Gemilerin Haliç'e girişini kontrol etmek üzere imparator II. Tiberios tarafından inşa ettirilmiş olan kulenin etrafında koruyucu bir hisar vardır.

1203'te Haçlılar, donanmalarını Haliç'e sokabilmek için bu hisarı ele geçirmeye çalışmışlardır. İstanbul'un fethinden sonra burası yine cephanelik olarak kullanılmıştır.

Yeraltı Camii'nin bulunduğu yer, aslında kuşatma zamanlarında Bizanslılar tarafından gemilerin Haliç'e girişini engellemek için gerdikleri ünlü zincirin kuzey ucunun bağlandığı Kastellion'un bodrumudur.

◄

Mahzen-i Sultani olarak da anılan Yeraltı Camii'nden bir görünüm

Mahzen-i Sultani olarak da anılan yapıya, Arap kuşatmalarında Mesleme döneminde şehit düşen iki sahabenin gömüldüğü bilinmektedir. Esere Kurşunlu Mahzen denilmesinin sebebi ise, kapılarının kurşun dökülerek kapatılmış olmasından gelir. Kurşunlu Mahzen adıyla bir depo veya ambar olarak kullanılan hisarın bodrum kısmı, ancak 18. yüzyıl ortalarında camiye dönüştürülmüştür.

Bu yapı, 1725 yılında Sadrazam Mustafa Bahir Paşa tarafından camiye çevrilmiştir. Yeraltı Camii'nin üstünde Kurşunlu Köşkü denilen bir köşk bulunduğu ilk olarak 1776'da çizilen bir haritadan anlaşılmaktadır.

Günışığı camiye sadece Kemankeş Caddesi tarafındaki birkaç pencereden girmektedir. Cami mekânı, kare kesitli elli dört payeyle bölünmüş, bunların üstleri çapraz tonozlarla örtülmüştür. Yeraltı Camii İstanbul'un cami mimarisinde çok değişik ve alışılmamış bir örnek teşkil etmektedir. Yerin altından olmamakla beraber, zeminle hizada olan ve üstünde bir de sağlık merkezi olarak kullanılan büyük bir ahşap konak bulunan Yeraltı Camii, muntazam dikdörtgen biçimde bir plana sahiptir. Etrafı çeşitli yapılarla sarılı olduğundan dış mimarisi hakkında fazla bir bilgi bulunmamaktadır.

Bir rivayete göre h. 96 (714) yılında İstanbul'u almak için gelen Arap orduları burada yedi yıl kalmış, savaşta şehit olanlardan bazıları buraya defnedilmiştir.

Arap orduları Şam'a dönerken, ordunun önemli eşyalarından bazıları bu mahzene konulmuş, kapısının üzerine de kurşun dökülmüştür. Kurşunlu mahzen sözü de buradan gelmektedir. Bu sahabelerden birinin mezarı fetih sonrası türbe haline getirilmiş, diğer ikisi de parmaklıklarla çevrilmiştir. Bu eski yapı I. Mahmud ve III. Osman zamanında sadrazamlıkta bulunan Bahir Mustafa Paşa tarafından cami haline getirilmiştir.

Tonozlardan mürekkep olan Yeraltı Camii'nde dört kapı bulunmaktadır. Yapının arka kapısına merdivenle inilmektedir. İki kapısı deniz tarafından, ikisi de kara tarafından toprak seviyesinde olan caminin içinde elli altı paye vardır. Üstü tonozlarla örtülü payelerin üzeri yarım kubbeden oluşmaktadır. Kule şeklindeki tek şerefeli minaresi depremden yıkıldıktan sonra Sultan I. Mahmud tarafından yaptırmıştır.

Cami içerisinde, Emeviler zamanında İstanbul'un fethi için gelip esir edilen ve burada zindan hayatına mahkûm olan Ashab-ı Kiram'dan Amr bin As, Vehb bin Hüseyra, Sufyan ibni Uyeyne'ye isnat edilen makamlar yer almaktadır.

98

ZAL MAHMUD PAŞA CAMİİ

Eyüp'te, Defterdar Caddesi ile Zal Paşa Caddesi arasında yer almaktadır. Kanuni Sultan Süleyman'ın veziri Zal Mahmud ile eşi Şah Sultan tarafından 1577'de Mimar Sinan'a yaptırılan külliye cami, medrese, türbe ve çeşmeden meydana gelmektedir.

Bu külliye, Mimar Sinan'ın engebeli arazide yeni bir denemesi olmuştur. Medresenin biri şadırvan avlusu çevresinde, buna bağlı ikinci medrese ise daha düşük bir platformdadır. Yapının Defterdar Caddesi tarafındaki kapısında bulunan çeşme, kitabesine göre h. 998'de (m. 1590) yapılmıştır.

İç avlu, son cemaat yeriyle birlikte on yedi sütun ve on beş kubbeyle çevrilidir. Caminin ortasında sekiz sütunlu şadırvanı vardır. Minaresi tek şerefeli olan caminin duvarları taş ve tuğla karışımıdır. Büyük bir kubbeyle örtülü olan yapının çini mihrabı ve minberi kalem işleriyle süslüdür.

Caminin içinde, üç yanda dörder sütunlu düz tavanlı revaklar vardır. Yapının mermer minberi ve mihrabı görülmeye değer güzelliktedir. Mihrap etrafında çini bordür bulunmaktadır. Caminin son cemaat yeri açıklı bir revaktır ve yanları kubbelidir. Duvarları taş ve tuğladan yapılan caminin dış görünümü camiye kırmızı beyaz bir hava kazandırmıştır. Caminin sağ tarafında yer alan ve tek şerefeli olan minaresi yapıya bitişiktir. Yapının duvar pencereleri ise iki sıradır.

Sekizgen, tek kubbeli, girişi altı sütunlu bir revaktan oluşan türbede Zal Mahmud Paşa yatmaktadır. Türbe pencereleri klasik karınca gözlüdür. Daha önceleri de birçok tamirat geçiren cami, son olarak 1955-1963 yılları arasında restore edilmiştir.

▲
Sekizgen, tek kubbeli, girişi altı sütunlu bir revaktan oluşan Zal Mahmud Paşa türbesi

Kanuni Sultan Süleyman'ın veziri Zal Mahmud ile eşi Şah Sultan tarafından Mimar Sinan'a yaptırılan külliye, cami medrese, türbe ve çeşmeden meydana gelmektedir.

99

ZEYNEB SULTAN CAMİİ

~

Eminönü'nde, Gülhane Parkı'nın karşısında, Çocuk Mahkemeleri'nin bitişiğindedir. Barok üsluptaki bu cami, 1769 yılında III. Ahmed'in kızı Zeyneb Asime Sultan tarafından Mehmed Tahir Ağa'ya yaptırılmıştır. Caminin mimari tarzı ve planında bulunduğu yer göz önüne alınmıştır. İnşasında kullanılan malzeme ve tarzı nedeniyle yapı Bizans kiliselerini anımsatmaktadır.

Vakıflar tarafından kiraya verilen ve büfe olarak kullanılan sebilin hemen yanında bir bahçe giriş kapısı bulunmaktadır. Arka tarafındaki giriş ise binaların içinden geçilerek sağlanmaktadır. Caminin arka tarafında günümüzde ilkokul olarak kullanılan bir mektep vardır. Caminin hemen önünde 1920'lerde 4. Vakıf Han'ın yapımı nedeniyle I. Abdülhamid'in külliyesinden, Eminönü'nden buraya getirilen çeşme, Taya Hatun Sokak'taki bugünkü yerine taşınmıştır. Hemen üst tarafında ise Osmanlı Araştırmaları Vakfı bulunmaktadır.

Mimar Mehmed Tahir Ağa, bu camide barok ile klasik üslubu kaynaştırarak kullanmış, III. Mustafa'nın annesi Mihrişah Kadın için yaptığı Ayazma Camii'nde de aynı üslubu kullanmıştır. Kız Kulesi'nin 1763 yılında yapılan tamiratının da bu mimar tarafından gerçekleştirildiği belirtilmektedir. Osmanlı mimarlığına katkı yapmış olmasının yanında, Mehmed Tahir Ağa'nın mimari denetim görevinin de bulunduğu kayıtlarda belirtilmektedir.

Zeyneb Sultan Camii'ndeki tek şerefeli minarede, taş basamak kenarları açıkta bırakılarak farklı bir renk ve desen yaratılmıştır. Şerefesindeki bitkisel bezemeli demir korkuluklarda ise barok üslup uygulanmıştır.

Cami kubbesi dört duvar üzerine konulmuştur. Son cemaat yerindeki revakta bulunan dört kemer ve bir kubbe, altı adet direğe dayanmaktadır. Binanın duvarları kesme taş ve tuğlayla örülmüştür. Zeyneb Sultan Camii'ndeki tek şerefeli minarede, taş basamak kenarları açıkta bırakılarak farklı bir renk ve desen yaratılmıştır. Caminin şerefesindeki bitkisel bezemeli demir korkuluklara da yine barok üslup uygulanmıştır. Gövdesi tuğladan yapılan cami, avlu ortasında durmaktadır. Sıbyan mektebi, medrese ve meşruta evleriyle çevrili olan caminin iki yerinde haziresi vardır.

Haziresinde Alemdar Mustafa Paşa'nın mezarı bulunmaktadır. Yeniçeri isyanını bastırmak için İstanbul'a gelen Alemdar Mustafa Paşa II. Mahmud'u tahta çıkarmış, kendisi de sadrazamı olmuştur. Ancak bir süre sonra yeniçeriler tekrar ayaklanıp Alemdar Mustafa Paşa'nın evini kuşatmış, paşa da kendisiyle birlikte evini havaya uçurmuştur. Yeniçeriler tarafından Yedikule Zindanları'na atılan naaşı, 1900'de düzenlenen

bir törenle Zeyneb Sultan Camii'nin avlusuna defnedilmiştir. Caminin bahçesine bir sıbyan mektebi yapılmış ve Alemdar Mustafa Paşa'nın ismi verilmiştir.

1912 yılında yapılan istimlak çalışmalarında türbesi yıkılan Zeyneb Sultan'ın naaşı, 1950 yılına kadar caminin bodrumunda kalmıştır. 1950'de dönemin Vakıflar İdaresi, Zeyneb Sultan'ın naaşını bugünkü yerine defnetmiştir. Caminin bodrumu ise 1983 yılında restore edilmiş ve ibadete açılmıştır. III. Selim'in sadrazamlarından Zeyneb Sultan'la evli olan Melek Mehmed Paşa'nın kabri de yine caminin haziresinde yer almaktadır.

Zeyneb Sultan Camii 1958 yılında Vakıflar İdaresi tarafından, 1983 yılındaysa cami cemaati tarafından restore edilmiştir.

ZEYREK CAMİİ

~

Fatih'te, Zeyrek semtinde, İbadethane Sokağı'ndadır. Bizans devrine ait bu yapı, Pantokrator Manastırı Kilisesi adıyla inşa edilmiştir. Kilise, üç ayrı şapelin birleştirilmesinden oluşmuştur. Yapı, Ayasofya'dan sonra İstanbul'da ayakta kalan en büyük kilisedir. Manastır, 1124-1136 yılları arasında Mimar Nikeforos tarafından inşa edilmiştir.

İstanbul'un fethinden sonra ilk medrese, müderris Zeyrek Mehmed Efendi tarafından burada açılmıştır. Fatih Külliyesi'yle birlikte yeni medreselerin inşası bitince medrese camiye tahvil edilmiştir. Günümüzde yapının yalnızca güney kısmı cami olarak kullanılmaktadır. Birbirine bitişik üç yapıdan oluşan bu yapılar topluluğunun inşa edilmesinden önce, kuzeyinde bulunan Şefkatli Meryem'e (Theotokos Elaiusa) sunulmuş bir şapel yer almaktadır. İmparatorluk şapelinin apsisi, girintili tuğla tekniğiyle yapılmıştır; bu teknikte birbiri ardına gelen tuğlalar, duvar çizgisinin arkasına monte edilmekte, ardından da karışım yatağına daldırılmaktaydı.

Bizans döneminde manastıra elli yataklı bir sağlık yurdu ile yaşlı ve bakıma muhtaç olanlar için altmış yataklı bir bina yaptırılmıştır. Bu hastane ve ihtiyarlar yurdu, 1455'e kadar işlevlerini sürdürmüştür.

1204'teki Latin istilasında bu manastır ve kilise yağmalanmış ve buradaki birçok değerli eşya Venedik'teki Sen Marko Kilisesi'ne götürülmüştür. Ayrıca manastır birtakım sürgünlere de sahne olmuştur. Ortodoks ve Katolik kiliselerinin birleştirilmesine karşı çıkan Patrik Gennadios Sholarios, son İmparator XI. Konstantinos tarafından buraya sürgün edilmiştir. Fetihten sonra Fatih, Gennadios Sholarios'i manastırdan çıkartmış ve tekrar patrik yapmıştır. Fetihten hemen sonra kilise camiye çevrilirken, manastır odaları da bir süre medrese olarak kullanılmıştır. Bu medresenin müderrislerinden olan Molla Zeyrek'ten dolayı yapı "Zeyrek Camii" adıyla tanınmıştır. Fatih Külliyesi tamamlandıktan sonra halihazırda harap durumdaki manastır hücreleri kaldırılmıştır.

18. yüzyılda meydana gelen yangın ve depremden sonra binanın onarıldığı, içerideki barok unsurlardan anlaşılmaktadır. 1940'lı yıllarda Unkapanı ile Aksaray'ı birbirine bağlayan Atatürk Bulvarı açılırken, binanın kuzeyinde ortaya çıkan büyük sarnıcın temizlik ve onarımı yapılmıştır. 1953 yılında güney kilisedeki onarım sırasında bulunan ve Eirene'ye ait olduğu sanılan lahit, Ayasofya Müzesi'ne getirilmiştir.

KAYNAKÇA

Abaç, Sadi. *Kasımpaşa'nın Tarihçesi*. CHF Kasımpaşa Merkez Ocağı, 1935.

Abidelerimiz. Türkiye Anıtlar Derneği, 1954.

Adım Adım İstanbul. Editör: Ayşe Berktay Hacımirzaoğlu. Intermedia, 1996.

Ahmet Süheyl Ünver'in *İstanbul'u*. İstanbul Belediyesi, 1996.

Akyavaş, A. Ragıp. *Asitane: Evvel Zaman İçinde İstanbul*. Türk Diyanet Vakfı, 2000.

Altınay, Ahmet Refik. *Eski İstanbul*. İletişim Yayınları, 1998.
——. *Kafes ve Ferace Devrinde İstanbul*. Kitabevi Yayınları, 1998.

Alus, Sermet Muhtar. İstanbul Yazıları. İBKY, 1995.
——. *Onikiler*. İletişim Yayınları, 1999.

Arseven, Celal Esad. *Eski İstanbul*. Çelik Gülersoy Vakfı, 1989.
——. *Türk Sanatı Tarihi*. Maarif Vekâleti.

Arslan, Necla. *Gravür ve Seyahatnamelerde İstanbul* (18. Yüzyıl Sonu ve 19. Yüzyıl). İstanbul Büyükşehir Belediyesi, 1992.

Atasoy, Cemalettin. *Kandilli'de Tarih*. TTOK, 1982.

Ayvansarayi, Hüseyin. *Hadikatü'l Cevami* (İstanbul Camileri ve Diğer Dini ve Sivil Mimari Yapılar). Haz. Ahmed Nezih Galitekin. İşaret Yayınları, 2001.

Ayverdi, E.Hakkı. *Osmanlı Devri Mimarisi*. İstanbul Fetih Cemiyeti, 1955.
Baltacı, Cahit. İstanbul Medreseleri Hakkında Notlar. TTK, 1988.

Banoğlu, Niyazi Ahmet. *Anıtları ve Tarihi Eserleriyle İstanbul*. Yeni Çığır Kitabevi, 1963.

Barışta, H. Örcün. *Osmanlı İmparatorluğu dönemi İstanbul cami ve türbelerinden ağaç işleri*. Atatürk Kültür Merkezi, 2009.

Bayladı, Derman. İstanbul'un Yüreğinde Tarihe Yolculuk Anıtlar Olaylar Efsaneler. 1997, Say Yayınları.

Bayrı, M.Halit. İstanbul Folkloru. Türkiye Yayınları, 1947.

Belge, Murat. İstanbul Gezi Rehberi. Tarih Vakfı Yurt Yayınları, 1993.

Bilge, S. İstanbul Selâtin Camileri. İlim Yayma Cemiyeti, 1978.

Deleon, Jak. *Boğaziçi Gezi Rehberi*. Remzi Kitapevi, 2000.

Dünden Bugüne Beşiktaş. Türkiye Ekonomik Toplumsal Tarih Vakfı. Beşiktaş Belediyesi, 1998.

Dünden Bugüne İstanbul Ansiklopedisi. Kültür Bakanlığı Tarih Vakfı, 1993.

Eldem, Sedad Hakkı. *Boğaziçi Anıları*. İstanbul Anıları 1–2. TAÇ Vakfı, 1983.

Evliya Çelebi Seyahatnamesi. Günümüz Türkçesiyle Haz. S. Ali Kahraman ve Y.Dağlı. 2 Cilt. Yapı Kredi Yayınları, 2003.

Evliyalar Ansiklopedisi. Türkiye Gazetesi Yayınları, 2003.

Freely, John. *Evliya Çelebi'nin İstanbul'u*. Yapı Kredi Yayınları, 2004.

Galitekin, Ahmed Nezih. *Osmanlı kaynaklarına göre İstanbul: cami, tekke, medrese, mekteb, türbe, hamam, kütübhane, matbaa, mahalle ve selâtin imaretleri*. İşaret Yayınları, 2003.

Göncüoğlu, S.F. *Geçmişten Geleceğe Camiler*. Kiptaş, 2005.

Güngör, Necati. *Boğaziçi Büyüsü*. İnkılâp Kitapevi, 1999.

Gyllius, Petrus. İstanbul'un Tarihi Eserleri. Çev. E. Özbayoğlu. Eren Yayınları, 1997.

Hürel, Haldun. İstanbul'u Geziyorum Gözlerim Açık. Dharma, 2005.

İslam Ansiklopedisi. MEB, 1988.

İstanbul Yeni Cami ve Hünkâr Kasrı. Vakıflar Genel Müdürlüğü, 1944.

İstanbul'un Tarihi ve Camileri. Türkiye Ticaret Odaları, 1970.

Kahraman, Kemal. Üsküdar Hatırası. Üsküdar Belediyesi, 2003.

Kaygılı, O. Cemal. *Köşe Bucak İstanbul*. Selis Yayınları.

Koçu, Reşat Ekrem. İstanbul Ansiklopedisi. 1946.
———. İstanbul Camileri. Tan Matbaası, 1975.

Kömürcüyan, Eremya Çelebi. İstanbul Tarihi, 17. Asırda İstanbul. Eren Yayınları, 1988.

Latifi. *Evsaf-ı İstanbul*. Baha Matbaası, 1977.

Öz, Tahsin. İstanbul Camileri (2 Cilt). Türk Tarih Kurumu, 1962.

Özden, Süleyman İlhami. *Beşiktaş Camileri*. İstanbul Müftülüğü, 2003.

Özyalçıner Adnan ve Sennur Sezer. Üç Dinin Başkenti İstanbul. İnkılâp Kitabevi, 2003.

Pilehvarian, Nuran Kara, Nur Urfalıoğlu ve Lütfi Yazıcıoğlu. *Osmanlı Başkenti İstanbul'da Çeşmeler*. Yapı Endüstri Merkezi Yayınları, 2000.

Raif, Mehmet. *Mirat-ı İstanbul*. TTOK, 1985.

Rebii, Mehmet, Hatemi Baraz ve Zeynep Demircan. Çengelköy'de Tarih. Kitabevi Yayınları, 2004.

Sarıöz, Perihan. *Bir Zamanlar İstanbul*. İdea İletişim Hizmetleri, 1996.

Şehsuvaroğlu, Haluk Y. *Asırlar boyunca İstanbul*. 1973.

Tutel, Eser. *Haliç, Yedi Tepenin Koynunda Uyuyan Büyülü Cennet*. Dünya Yayınları, 2000.

Ülgen, Hikmet. İstanbul Camileri. Kitapçılık Ticaret Ltd. Yayınevi, 1966.

Ünver, A. Süheyl. İstanbul'da Sahabe Kabirleri. 1953.

Wiener, Wolfgang Müller. İstanbul'un Tarihsel Topografyası. Çev. Ü. Sayın. Yapı Kredi Yayınları, 1998.

Yalçın, Ayhan. İstanbul Evliyaları: Gönül Sultanları. Çelik Yayınevi, 1996.

Ziyaoğlu, Rakım. *Yorumlu İstanbul Kütüğü*. TTOK, 1985.

700. Kuruluş Yıldönümünde İstanbul'daki Osmanlı Mimari Eserleri. İstanbul Valiliği, 2000.